CONCILES GAULOIS
DU IVᵉ SIÈCLE

SOURCES CHRÉTIENNES

Fondateurs : H. de Lubac, s. j., et † J. Daniélou, s. j.
Directeur : C. Mondésert, s. j.
N° 241

CONCILES GAULOIS DU IVe SIÈCLE

*TEXTE LATIN DE L'ÉDITION C. MUNIER.
INTRODUCTION, TRADUCTION ET NOTES*

PAR

Jean GAUDEMET

PROFESSEUR A L'UNIVERSITÉ DE DROIT,
D'ÉCONOMIE ET DE SCIENCES SOCIALES DE PARIS.
DIRECTEUR D'ÉTUDES A L'ÉCOLE PRATIQUE DES HAUTES ÉTUDES

LES ÉDITIONS DU CERF, 29, BD DE Latour-Maubourg, PARIS-7e
1977

*L'édition de cet ouvrage a été préparée avec le concours
de l'Institut des « Sources Chrétiennes » (E. R. A. 645).*

AVANT-PROPOS

L'édition par S. Lancel des « Actes de la conférence de Carthage en 411 » a déjà conduit les « Sources Chrétiennes » vers la publication de documents juridiques. Le présent volume va plus avant dans la même voie. Après les débats judiciaires, les textes législatifs. Ceux ci sont indiscutablement « sources chrétiennes ». Mais d'un genre différent. Une sorte de crainte révérentielle détourne trop souvent l'historien des documents juridiques. Peut-être parce qu'il se sent mal à l'aise devant un vocabulaire technique et des catégories qui lui sont peu familières. Ou plus simplement parce qu'il tient le droit pour une construction de l'esprit, qui serait assez loin des réalités de la vie.

En publiant « les conciles gaulois du ive siècle », les directeurs de la Collection ont voulu montrer que cette réserve leur semblait excessive. On souhaiterait qu'à travers ces textes, le document juridique n'apparaisse ni ésotérique ni fallacieux. Sous l'apparente raideur de son abstraction, il est témoin très direct et très sûr des réalités sociales, des tensions et des espoirs.

Il apporte ici sur la vie de l'église des Gaules, son organisation, le statut du clergé, les cadres hiérarchiques, la vie sociale, les conflits de personnes, les oppositions des doctrines, des informations, sans doute partielles, mais non négligeables. Il était souhaitable que ces canons gaulois soient mis à la disposition des historiens de l'Église.

Nous tenons à dire notre reconnaissance au Père B. de Vregille et au Secrétariat des « Sources Chrétiennes » pour le lourd travail de révision et de mise au point du manuscrit auquel ils ont apporté tous leurs soins.

INTRODUCTION

LA LÉGISLATION
DES CONCILES GAULOIS DU IVe SIÈCLE

L'édition donnée par M. l'abbé Ch. Munier, dans le *Corpus Christianorum* [1], des conciles réunis en Gaule de 314 à 506, fait état de neuf conciles au IVe siècle, en y comprenant le concile de Turin de 398 qui, tenu hors de Gaule, rassembla pourtant des évêques de ce pays et eut pour objet principal de mettre un terme aux conflits qui divisaient alors l'épiscopat gaulois. A ces neuf conciles se trouve joint le « concile de Cologne de 346 », dont le caractère apocryphe est en général admis aujourd'hui.

La plupart des réunions se tinrent dans le sud-est de la Gaule : à Arles (314 et 353), Béziers (356), Valence (374), Nîmes (396), ou à proximité de cette région (Turin 398). Mais des considérations particulières justifieront aussi des conciles à Paris (360/361), Bordeaux (385) et Trèves (386).

Il importerait de connaître, plus encore que le lieu des assemblées, le siège des évêques qui y participèrent. Une telle détermination, en même temps qu'elle révélerait quels sièges épiscopaux ont alors joué un rôle prééminent dans l'église des Gaules, permettrait peut-être de préciser par quels liens personnels telle disposition a pu cheminer d'un concile à un autre. Mais surtout elle seule fournirait une indication, au moins approximative, sur la zone territoriale d'application des décisions conciliaires. Car il est évident que seuls les évêques qui avaient participé à l'élaboration des canons pouvaient se considérer comme rigoureusement

---

1. *Concilia Galliae. A. 314 - A. 506*, Corpus Christianorum, *Series Latina*, t. 148, Turnhout 1963.

liés par eux. Sans doute n'était-il pas impossible que certaines prescriptions fussent reçues également dans d'autres diocèses. Mais cela supposait que les évêques qui n'avaient pas assisté au concile en reconnaissent la valeur et se soumettent à sa loi.

Malheureusement notre information est en cette matière fort médiocre. Les raisons de cette déficience sont multiples. Tout d'abord nous ne possédons pas pour tous les conciles la liste des évêques présents [1]. Lorsqu'un tel document nous est parvenu, les manuscrits qui l'ont conservé en offrent souvent des versions différentes, soit dans l'énumération des participants, soit dans la forme donnée à leur nom ou à celui de leur diocèse. Enfin cette précision topographique fait souvent défaut, car un nom d'évêque attesté dans plusieurs diocèses ne permet à lui seul aucune identification certaine. Aussi ne peut-on le plus souvent que constater l'ignorance où nous sommes de la composition des assemblées [2].

Seul le concile d'Arles de 314 fait vraiment exception, malgré quelques incertitudes de détail. Huit collections canoniques ont conservé, sous des formes voisines, sinon pleinement concordantes, la liste des personnages qui souscrivirent aux actes du concile [3], et l'adresse de la lettre synodale au pape Silvestre confirme cette liste pour l'essentiel. Il résulte de ces documents que quarante-quatre évêchés étaient représentés, soit par leur évêque, soit par des prêtres ou des diacres. On comptait parmi eux seize évêchés gaulois [4],

1. Aucune liste pour les conciles d'Arles de 353, Béziers, Paris, Bordeaux, Trèves, Turin.
2. Au contraire, pour les 52 conciles mérovingiens édités par C. de Clercq (*Concilia Galliae. A. 511 - A. 695*, *CCL* 148 A), on dispose des listes de souscriptions de 29 conciles. Aussi a-t-on pu tenter de répondre au moins partiellement aux questions que nous évoquons ici pour la Gaule mérovingienne des VIe-VIIe siècles. Cf. J. CHAMPAGNE et R. SZRAMKIEWICZ, « Recherches sur les conciles des temps mérovingiens », *Revue historique du droit français et étranger* 49 (1971), p. 5-49.
3. Cf. MUNIER, p. 14-22.
4. Ceci, en comprenant le nom de Gaule au sens le plus large : Marseille, Arles, Vienne, Vaison, Orange, Nice, Apt, Reims, Rouen, Autun, Lyon, le diocèse des Gabales (actuel Gévaudan), Bordeaux, Eauze, auxquels il faut joindre Trèves et Cologne.

huit africains[1], dix italiens[2], six espagnols[3], trois bretons[4] et un dalmate[5]. En dehors de cette information assez précise, nous savons seulement que deux autres conciles, ceux de Valence (374) et de Nîmes (396), réunirent chacun vingt et un évêques gaulois. Pour le premier on peut identifier la présence des évêques d'Agen, Vienne, Valence, Trèves, Lyon, Orléans, Arles et Orange, ainsi peut-être que celle des évêques de Nantes, Embrun, Le Puy, *Tricastinum*, Autun et Digne. Pour le second, seule est certaine celle des évêques d'Arles et de Cavaillon. Il faut donc reconnaître que sur un point essentiel, celui de la composition des assemblées, nous ne savons presque rien.

Les réunions conciliaires ne présentent aucune régularité : on en compte une seule pour la première moitié du siècle, celle d'Arles en 314, tandis qu'elles se font nombreuses dans la seconde moitié. Le fait est qu'aucune prescription n'impose des assemblées périodiques. Les conciles répondent aux nécessités du moment, et ces nécessités déterminent leur objet. Celui-ci est double : théologique et disciplinaire.

Souvent d'ailleurs les deux ordres de questions sont abordés au cours d'un même concile. Mais il n'est pas toujours possible de dire avec certitude quel fut exactement l'objet de chacun. Cette incertitude s'explique par la nature de nos sources d'information. Celles-ci en effet sont doubles. Les unes, que l'on peut dire littéraires, patristiques ou théologiques, représentées principalement par les écrits de Sulpice Sévère et d'Hilaire de Poitiers, s'intéressent seulement aux questions doctrinales (arianisme, priscillianisme et séquelles gauloises de l'affaire félicienne), négligeant l'aspect disciplinaire, qui n'entrait pas dans leur propos. Les autres, au contraire, ne s'intéressent qu'aux problèmes juridiques :

1. Césarée de Mauritanie, Carthage, Uthina, Utique, Thuburbo (Maius ?), Pocofelta, Veri (?) et Legis Volumni en Numidie.
2. Syracuse, Capoue, Rome, Milan, Cagliari, Beniata (?), Porto, Centumcellae, Ostie et Salapia en Apulie.
3. Mérida, Osuna (?), Tarragone, Saragosse, Eçija et un diocèse de Bétique non identifié.
4. York, Londres, Lincoln (?).
5. Aquilée.

ce sont les collections canoniques. Ces collections, gauloises [1]
ou espagnoles [2] surtout, n'ont conservé que les canons
disciplinaires.

Mais le hasard de la transmission peut faire ou que nous
ne sachions rien des débats dogmatiques qui auraient pu
avoir lieu dans les conciles dont ces collections ont conservé
les canons, ou, à l'inverse, que les collections canoniques
n'aient pas recueilli les canons disciplinaires de conciles dont
les sources littéraires font connaître les préoccupations
doctrinales.

Le lien entre problèmes doctrinaux et réglementation disciplinaire est en effet certain pour quelques conciles, soit que,
réunis pour trancher un débat doctrinal, ils en aient profité
pour régler des points de discipline [3], soit que divergences
doctrinales et incertitudes disciplinaires soient étroitement
liées, comme ce fut le cas à Turin en 398.

A s'en tenir à l'information dont on vient de dire les
lacunes, on peut cependant répartir ces conciles en quatre
groupes.

a) En 314, Arles fut choisie par Constantin pour la tenue
d'un « grand concile » chargé de régler l'affaire donatiste,
à laquelle le concile réuni à Rome l'année précédente n'avait
pu donner une solution effective. Il s'agit d'un concile
« impérial » : les évêques y furent convoqués par l'empereur,
et celui-ci, pour faciliter le voyage, mit à leur disposition
la poste impériale. Par ses participants, ce concile dépasse
largement le cadre gaulois. Il se présente comme un concile
de l'Occident romain. Le pape cependant n'y vint pas. Il
fut représenté par deux prêtres et deux diacres de Rome, et

---

1. Du VIᵉ s. et le plus souvent composées dans la région rhoda-
dienne du Sud-Est (Coll. des mss de Corbie, de Lyon, de Lorsch,
de Cologne, d'Albi, de Saint-Maur, de Reims), ou collections plus
tardives des mss de Diessen et de Saint-Amand.

2. Coll. du ms. de Novare, *Epitome hispanica, Hispana*.

3. Ainsi en fut-il à Arles en 314, où les Pères, réunis pour régler
le conflit africain, promulguèrent une importante législation disciplinaire ; de même le concile de Nîmes (396), réuni à propos de
l'affaire félicienne, édicta 6 canons disciplinaires sans rapport avec
cette affaire.

les décisions de l'assemblée lui furent transmises. Le concile condamna les donatistes, mais sa sentence resta sans effet, et Constantin dut, par la suite, intervenir personnellement. Les objectifs doctrinaux en vue desquels le concile d'Arles avait été convoqué ne furent donc pas atteints. En revanche, sa réunion permit aux Pères d'accomplir une œuvre disciplinaire importante.

b) Dans la seconde moitié du IVᵉ siècle, les débats théologiques, principalement christologiques, ainsi que les conflits de personnes, l'emportèrent sur les mesures disciplinaires. Lors de la querelle arienne, la condamnation d'Athanase fut prononcée au concile d'Arles de 353, réuni par Constance. En 356, le concile de Béziers décréta l'exil d'Hilaire de Poitiers. Au contraire, quelques années plus tard, le concile de Paris (360/361) se prononça contre les thèses ariennes qui avaient prévalu à Rimini (359) et se rallia à la doctrine d'Hilaire.

c) Dans les quinze dernières années du siècle, l'église des Gaules fut profondément marquée par l'affaire priscillianiste et ses prolongements gaulois. En 385, le concile de Bordeaux est saisi des cas d'Instance et de Priscillien. L'année suivante, les évêques réunis à Trèves, à l'occasion de la désignation du successeur de l'évêque de cette ville, Britto, se divisent sur l'attitude à prendre à l'égard d'Ithace, principal accusateur de Priscillien.

d) Dix ans plus tard, en 396, le concile de Nîmes tente de régler les conflits qui divisent l'épiscopat gaulois, qu'il s'agisse de l'opposition entre féliciens et antiféliciens (séquelles de l'affaire priscillianiste) ou des rivalités entre Aix et Marseille d'une part, Arles et Vienne de l'autre. Cette réunion est l'occasion de sept canons disciplinaires. Enfin en 398, le concile de Turin met un terme à ces discussions en formulant huit canons disciplinaires.

Au total, et si l'on excepte le seul concile de Valence (374), qui n'est connu que par quatre canons disciplinaires, l'activité législative des conciles gaulois du IVᵉ siècle apparaît toujours comme seconde par rapport aux débats doctrinaux. Elle est, d'autre part, quantitativement limitée. Seul le concile d'Arles de 314, avec ses vingt-deux canons, fournit une contribution importante à la législation canonique. Les conciles de Valence (374), Nîmes (396) et Turin (398) n'y contribuèrent respectivement que par quatre, sept et huit canons. Soit au total quarante et un canons, ou au maximum quarante-sept si l'on tient compte de six canons apocryphes qui furent attribués au concile d'Arles.

C'est ce dossier assez modeste que nous nous proposons d'analyser ici; tel quel, il présente de l'intérêt pour l'histoire institutionnelle. Mais, plutôt que de relever le détail de ses dispositions en suivant l'ordre chronologique des conciles, nous tenterons de dégager les problèmes qui se sont posés aux Pères et les solutions qu'ils y ont apportées.

L'Église, au lendemain de la concession que Constantin lui avait faite de la liberté, devait résoudre deux graves questions — posées ou du moins rendues plus urgentes par cette liberté même —, celle de son organisation interne et celle de ses relations avec la société civile. C'est autour de ces deux questions que l'on peut grouper les mesures prises par les conciles gaulois du IVe siècle.

I. L'organisation interne

Les communautés chrétiennes n'avaient pas pu vivre pendant les trois premiers siècles de leur existence dans une simple communion de foi, insouciante de toute réglementation juridique. Dès les épîtres pauliniennes, des principes avaient été posés, et même à l'époque des persécutions un minimum d'organisation s'était révélé indispensable.

Triomphante de l'hostilité impériale et favorisée désormais par le pouvoir politique, conquérante par son œuvre d'évangélisation et confiante dans l'aide divine, l'Église du IVe siècle doit perfectionner une organisation que rend plus nécessaire la multiplication rapide du nombre de ses fidèles. Les conciles gaulois n'en offrent pas le code général. Ils n'ont statué que sur quelques points, ceux qui paraissaient alors les plus importants. Du fait même de son caractère fragmentaire, cette législation permet donc de déterminer les problèmes qui présentaient au ive siècle le plus d'intérêt. On peut les grouper sous trois chefs : les hommes, les cadres, l'autorité.

1) C'est bien d'*hommes* qu'il faut parler, car le monopole masculin du ministère ecclésiastique est rappelé par le canon 2 du concile de Nîmes (396), qui s'insurge contre une coutume nouvelle et contraire à la « discipline apostolique » autorisant l'accès des femmes au diaconat. Sans autre explication, le canon rappelle simplement que « cela, la discipline ecclésiastique ne l'admet pas, car c'est inconvenant ». Et il prononce la nullité de telles ordinations.

Une autre série de dispositions développe le précepte de saint Paul en exigeant des ministres qu'ils aient été mariés seulement *cum unica et virgine*.

Ainsi que le signale le canon 1 du concile de Valence (374), cette prescription n'a pas toujours été bien observée dans le passé par « ignorance, naïveté, ou présomption ». Tenant compte de cette situation, le concile maintient les ordinations faites jusque-là en violation « du précepte divin », mais les prohibe — sans indiquer la sanction — pour l'avenir [1].

Le statut clérical fait l'objet de deux dispositions importantes. Le canon 33 du concile d'Elvire (entre 300 et 306) avait déjà interdit aux prêtres et aux diacres mariés d'avoir avec leur femme des relations conjugales. La lettre de Sirice aux évêques d'Afrique, qui fut lue au concile de Thelepte en 418 et qui communiquait les décisions des conciles de Rome de 386, formule la même défense. Ce texte est repris dans les collections gauloises sous la forme d'un canon 29 faisant suite à la série arlésienne de 314. Mais tandis que Sirice n'assortissait sa prohibition d'aucune sanction, le canon « arlésien » menace les contrevenants de la déposition.

---

1. Il faut rapprocher de cette disposition le c. 25 attribué au concile d'Arles qui reprend une disposition de la lettre de Sirice transmettant aux évêques d'Afrique les décisions du concile de Rome de 386 (c. 4, 5).

Moins rigoureux, le concile de Turin (c. 8) refuse simplement l'accès à un degré d'ordre supérieur au clerc qui n'observe pas la continence.

Ainsi tout au long du IVe siècle, la législation ecclésiatique occidentale s'efforce d'imposer aux clercs mariés de vivre dans la chasteté. La répétition des prescriptions en ce sens atteste la difficulté de la faire respecter. Elle témoigne aussi d'un rigorisme croissant : alors que le concile romain de 386 formulait un principe sans le sanctionner, le concile de Turin prévoit l'interruption de la carrière ecclésiastique, et l'un des canons attribués au concile d'Arles va jusqu'à prononcer la déposition [1].

La seconde disposition importante touchant le statut clérical est aussi une défense : c'est la prohibition faite aux « ministres » du culte de prêter à intérêt sous peine d'exclusion de la communauté (concile d'Arles de 314, c. 13). Cette mesure, qui se dit « conforme à la règle donnée par Dieu », est reprise, comme beaucoup d'autres promulguées à Arles, du concile d'Elvire (c. 2), auquel avaient participé quelques années auparavant certains des évêques présents. Elle sera édictée à nouveau au concile de Nicée en 325 (c. 17).

2) Ayant à préciser les *cadres* de l'organisation ecclésiastique, la législation gauloise s'inspire de trois principes : l'unité, la stabilité et la territorialité.

a) L'*unité* est celle de toute la Chrétienté sous la direction de l'évêque de Rome. Le canon 1 du concile d'Arles de 314 souhaite l'unité liturgique, symbole de l'unité de foi et demande que la fête de Pâques soit célébrée « le même jour dans le monde entier » : le pape adressera des lettres à toutes les communautés pour leur indiquer la date retenue. On sait les controverses et les oppositions que suscitait depuis longtemps la question pascale. Constantin, au témoignage d'Eusèbe de Césarée, n'y serait pas resté indifférent. La solution proposée à Arles ne sera pourtant pas retenue ; il appartiendra au concile de Sardique, quelques années plus

---

1. Sur la question en général, cf. R. GRYSON, *Les origines du célibat ecclésiastique du premier au septième siècle*, Gembloux 1970.

tard, d'élaborer un compromis — qui sera respecté jusqu'à la fin du Ve siècle.

L'unité souhaitée par les évêques était celle dont le pape serait le garant et l'organe. Et c'était bien un aspect de l'autorité romaine que la querelle pascale mettait en question. L'attitude « arlésienne » est d'autant plus remarquable que le pape n'assistait pas au concile, et qu'il n'était même pas l'auteur de sa convocation. Mais son autorité était reconnue par les Pères. La lettre synodale qu'ils lui adressent déplore qu'il n'ait pu venir juger avec eux de l'affaire donatiste.

b) Le principe de *stabilité* est rappelé par les canons qui insistent sur l'obligation faite aux clercs de rester attachés à l'église dans et pour laquelle ils ont été ordonnés [1]. Le même souci explique l'interdiction faite aux évêques d'ordonner (c'est-à-dire de promouvoir à un degré supérieur) un clerc qui appartient à une autre communauté [2]. Le concile de Turin développe les conséquences de ce principe : il interdit de recevoir un clerc d'une autre église, de lui conférer un degré d'ordre supérieur, d'accueillir un clerc excommunié (c. 7).

c) La stabilité est liée à la *territorialité*. Non seulement parce que tout clerc doit demeurer dans son église d'origine, mais encore parce que l'on s'applique à restreindre la compétence de chaque évêque à un territoire déterminé. La chose n'alla pas sans difficultés. Difficultés d'ordre topographique d'abord, car les frontières des diocèses étaient souvent mal déterminées, surtout lorsque entre deux cités s'étendait une zone inculte, de pénétration malaisée. Difficultés d'ordre personnel aussi, et la législation conciliaire fournit des exemples de rivalités entre évêques voisins, peu disposés à céder sur ce qu'ils considèrent comme leur territoire. Mais surtout, la notion de compétence territoriale ne pouvait être reçue sans discussion. Les pouvoirs conférés par la consécration épiscopale, le charisme de l'onction, s'attachent à la personne et ne peuvent donc pas se heurter à des limites

1. Arles (314), c. 2 et 21 et c. 27 (attribué au concile), où sont reprises les dispositions de la lettre de Sirice.
2. *Ibid.*, c. 26.

Conciles gaulois.   2

territoriales. La meilleure preuve n'en était-elle pas dans ces réunions conciliaires elles-mêmes, où des évêques venus de diverses cités et réunis dans une ville déterminée exerçaient l'une des fonctions les plus importantes de leur charge, celle de proclamer la vérité et de fixer le droit, en dehors de leur église d'origine ?

Les limites territoriales répondaient à une nécessité d'organisation interne qui n'apparut urgente et difficile qu'à partir de l'époque où des sièges épiscopaux nombreux devinrent plus étroitement voisins les uns des autres ; à partir aussi du moment où la liberté et la sécurité de la circulation, naguère entravée par les persécutions, offrirent plus d'occasions aux empiétements réciproques. Ainsi s'expliquent les multiples dispositions des conciles des IVe et Ve siècles relatives au principe de la compétence territoriale.

Dès le concile d'Arles de 314 ce principe est rappelé à propos de la juridiction épiscopale. Le canon 17 décide que le chrétien qui a été écarté de la communion à la suite de fautes graves pourra être reçu à nouveau seulement dans l'église qui avait prononcé son exclusion. Et le texte ajoute : « Qu'aucun évêque n'empiète sur les droits d'un autre évêque » — disposition qui, dans certaines collections, constituera un canon distinct.

Le concile de Nîmes (396) stipule « qu'aucun évêque ne s'arroge le droit de juger le clerc d'un autre évêque, sans l'assentiment de ce dernier » (c. 4). Le canon 26 attribué au concile d'Arles interdit d'ordonner un clerc venant d'une autre église, et l'on a vu [1] les dispositions du canon 7 du concile de Turin inspirées par le principe de territorialité.

Limités dans leur pouvoir de juridiction, les évêques ne sont pas pour autant incapables d'officier hors de leur cité. Le canon 19 du concile d'Arles demande que, lorsqu'ils se rendent à Rome, ils soient admis à prendre place parmi les célébrants.

3) En ce qui concerne le principe d'*autorité*, la législation conciliaire gauloise témoigne de deux soucis, répondant à

___
1. *Supra*, p. 17.

deux nécessités, à première vue contradictoires. En effet le développement des communautés chrétiennes, fruit d'une évangélisation que favorise la paix constantinienne, multiplie les contacts et suscite la collégialité. D'autre part le principe hiérarchique demeure une dominante de l'organisation ecclésiastique. Collégialité et hiérarchie, deux conceptions dont les fortunes diverses jalonnent la vie de l'Église et dont la conciliation pose au législateur dès le IVe siècle de difficiles problèmes.

a) La *collégialité* s'exprime dans la liturgie de la consécration épiscopale. Le concile d'Arles (c. 20) demande que l'évêque consécrateur soit assisté de sept évêques, ou au moins qu'ils soient trois en tout. Il condamne formellement la pratique de l'ordination par un seul évêque. Bientôt le concile de Nicée formulera une loi analogue (c. 4).

La multiplicité des communautés provoque naturellement voyages et échanges. Mais ceux-ci font apparaître un danger. Quelle assurance a-t-on que l'étranger qui se présente dans une communauté chrétienne est lui-même chrétien ? Et surtout, s'il se dit clerc ou prêtre, comment vérifier l'exactitude de ses affirmations ? C'est pour éviter ces incertitudes et les conséquences fâcheuses d'une usurpation de titre ou de qualité que furent de bonne heure instituées les lettres de communion (ou de communication), par lesquelles l'évêque attestait la qualité de celui qui quittait son diocèse. La pratique était courante au IVe siècle et les conciles gaulois s'y réfèrent souvent. Celui d'Arles de 314 (c. 10) distingue les simples lettres de communion des « lettres de confesseurs » : ces dernières attestent non seulement la qualité de chrétien de leurs titulaires, mais les preuves éclatantes qu'ils ont données de leur foi durant les persécutions. C'est la reprise d'une disposition du concile d'Elvire (c. 25) marquée par l'époque où les persécutions multipliaient les « confesseurs de la foi ».

Le canon 1 du concile de Nîmes (396) signale le danger des lettres souscrites par des inconnus qui accréditent de pseudo-prêtres ou diacres. Ceux-ci profitent de leur qualité usurpée pour extorquer aux fidèles secours et aumônes [1].

---

1. Sur les fraudes qui exploitent l'esprit de charité et d'entraide

Cependant le canon 6 du même concile rappelle aux clercs qui quittent leur ville la nécessité de se munir de lettres de communion. Il précise qu'elles ne peuvent émaner que de l'évêque du lieu.

b) Le *principe hiérarchique* apparaît dans deux séries de dispositions conciliaires.

Les premières, formulées par le concile d'Arles de 314, dénoncent et répriment les empiétements commis par les diacres. Le canon 16 leur interdit « d'offrir le sacrifice », ce qu'ils font « en beaucoup de lieux », et le canon 18 rappelle la déférence que les diacres romains doivent témoigner aux prêtres.

Les secondes, plus intéressantes, sont liées à la création des métropoles, fédérant sous leur autorité plusieurs évêchés. Cette innovation, qui s'inspirait du cadre de l'administration civile, ne pouvait manquer de soulever de multiples difficultés. La conciliation entre les traditions, les ambitions personnelles, les données géographiques et les cadres administratifs romains était en effet malaisée. La recherche d'une solution à deux cas précis fut l'un des objets essentiels du concile de Turin en 398. Des conflits opposaient d'une part l'évêque de Marseille à celui d'Aix, d'autre part l'évêque de Vienne à celui d'Arles.

La première rivalité était interprovinciale. Marseille, l'une des plus anciennes églises des Gaules, dont l'autorité était encore rehaussée par le prestige de son évêque, Proculus, était située dans la province (civile) de Viennoise. Aix appartenait à la jeune province de Narbonnaise Seconde, détachée de la Viennoise entre 369 et 381. Proculus entendait, nonobstant ce nouveau découpage de l'administration romaine, exercer sa juridiction sur les églises voisines de Marseille, et en particulier y consacrer les évêques. Mais l'évêque d'Aix voulait l'en empêcher, en se prévalant des récentes frontières provinciales. Ainsi s'opposaient deux ordres d'arguments : les uns se fondaient sur la tradition et le voisinage ; les autres sur l'exemple de l'administration séculière.

des chrétiens, cf. c. 5, à propos de collectes faites pour subvenir à des frais de voyage.

Le canon 1 du concile de Turin propose un compromis qui satisfait les prétentions du prélat marseillais, mais réserve l'avenir. Proculus continuera à exercer son autorité sur les églises qui relevaient jusqu'alors de Marseille, mais ce privilège, tout personnel, ne passera pas à ses successeurs. C'était donc, à échéance, conformer l'organisation ecclésiastique au cadre provincial romain.

L'autre conflit — que signale le canon 2 — opposait à l'intérieur d'une même province, la Viennoise, les sièges d'Arles et de Vienne, en compétition pour la primauté. Cette fois encore, on se référa à des titres civils pour justifier une primauté ecclésiastique. Mais ici le concile ne prit point parti, laissant aux antagonistes le soin de déterminer quelle était la métropole.

On sent à travers ces textes l'embarras des évêques réunis à Turin. C'est que le cadre métropolitain apparaissait en Gaule comme une nouveauté. Il était nécessaire sans doute pour mieux asseoir l'autorité hiérarchique, mais d'après quel principe devrait-on déterminer qui exercerait le droit métropolitain : prestige personnel, pratique traditionnelle, commodités du voisinage ou adoption des structures civiles ; autant de critères proposés, mais inconciliables.

L'une des manifestations essentielles de l'autorité réside dans l'exercice de la juridiction. Sur ce point, on ne peut relever que de rares décisions de la législation conciliaire gauloise du IVe siècle [1]. Ces canons attestent l'existence de la juridiction épiscopale, mais n'en précisent pas les modalités. Aucun ne traite de la compétence et, sur la procédure, les dispositions sont d'intérêt secondaire. Les canons 14 et 15 du concile d'Arles de 314 condamnent les accusations téméraires et la vénalité des témoins. Plusieurs conciles [2] rappellent l'obligation de respecter les sentences rendues par un évêque d'un autre diocèse, ce qui souligne une fois de plus les difficultés que posaient les questions territoriales.

1. Alors que d'autres conciles, celui de Sardique par exemple, consacrent à cette matière d'importantes dispositions.
2. Nîmes (396), c. 3 ; Turin (398), c. 7.

Enfin les canons 4 et 5 du concile de Turin confirment des sentences de condamnation prononcées à l'encontre de clercs ou de laïcs par leur évêque. Témoignage de communion épiscopale entre les évêques des Gaules, ou aveu de l'insuffisante autorité des sentences épiscopales ? On peut en discuter.

II. Les relations avec le monde extérieur

Vues dans la perspective étroite et partielle de la législation conciliaire, les relations de l'Église avec le monde extérieur paraissent dominées par deux données : une certaine instabilité religieuse et la nécessité de concilier les tendances contraires de deux morales.

1) De nombreux canons concernent des convertis de fraîche date qui ne rompent pas sans peine leurs attaches païennes, des apostats désireux de rejoindre l'Église, des hérétiques qui veulent revenir à la foi romaine. La législation disciplinaire reflète les hésitations de la foi, les incertitudes doctrinales, les conversions mal assurées, les repentirs.

Cette instabilité apparaîtrait mieux encore si nous avions à analyser les dispositions de caractère purement dogmatique, ce qui n'est pas notre propos. L'arianisme et le priscillianisme, celui-ci avec ses prolongements gaulois dans la crise félicienne, ont été le principal objet de plusieurs réunions conciliaires. Et les premiers débats autour du donatisme sont à l'origine de la plus importante assemblée, celle d'Arles en 314.

Pour s'en tenir aux seules mesures disciplinaires réclamées par cette instabilité dans la foi, il faut d'abord rappeler celles qu'eut à prendre ce concile d'Arles au lendemain de la pacification religieuse. Son canon 14 exclut du clergé ceux qui pendant la persécution de Dioclétien ont livré les vases sacrés et les livres saints, ou dénoncé leurs frères dans la foi (traditores).

Le canon 22 traite avec sévérité les apostats qui au cours d'une grave maladie voudraient rejoindre l'Église. Il ne leur rend la communion que si, revenus à la santé, ils font une pénitence convenable. Moins rigoureux dans son imprécision, le concile de Valence de 374 (c. 3) invoque l'autorité du concile de Nicée pour laisser à ceux qui « ont offert des sacrifices profanes aux démons » l'espoir de la réconciliation.

Le canon 6 du concile d'Arles envisage le cas de malades « qui veulent croire ». Il autorise l'imposition des mains, qui en fera des catéchumènes susceptibles d'être sauvés.

Enfin le canon 9 traite des modalités de la réintégration de donatistes dans l'Église catholique. S'ils ont déjà été baptisés dans le Père, le Fils et le Saint-Esprit, il suffira de leur imposer les mains ; sinon, ils devront être baptisés.

Un siècle plus tard, le concile de Turin (c. 6), dans un souci de pacification, ouvre la communion ecclésiastique aux féliciens qui la souhaiteraient.

2) La reconnaissance du christianisme par Constantin permettait à la religion nouvelle de s'afficher officiellement. La diffusion de sa doctrine et de sa morale, désormais permise, met en cause les croyances et la morale anciennes. Mêlés officiellement à la vie d'une société que dominent encore les traditions païennes, les chrétiens se trouvent dans une situation difficile. Le concile d'Arles de 314 offre de multiples exemples des difficultés quotidiennes que soulève l'opposition de deux morales. Les conciles de la fin du ive siècle témoignent au contraire d'une aide réciproque que commencent à se donner l'autorité religieuse et le pouvoir séculier.

La vie sociale païenne pose aux chrétiens des questions que le concile d'Arles tranche avec sévérité. C'est ainsi que les cochers de cirque (c. 4) et les acteurs (c. 5) qui sont fidèles, c'est-à-dire baptisés, seront tenus à l'écart de la communauté tant qu'ils exerceront leur profession.

Quant aux gouverneurs de province (c. 7) et aux autres fonctionnaires (c. 8) qui sont fidèles, le concile les soumet à la surveillance de l'évêque du lieu où ils exercent leurs fonctions, avec menace d'exclusion de la communauté s'ils manquent à la discipline ecclésiastique.

Un texte obscur (c. 3) — qui a fait l'objet de multiples

essais de correction parfois tendancieux — concerne les militaires. Dans la forme sous laquelle il nous a été transmis par les collections canoniques, il semble bien condamner (par une mise à l'écart de la communauté) les soldats déserteurs en temps de paix.

D'autres canons concernent la morale familiale. Le concile d'Arles se montre hostile aux mariages de jeunes chrétiennes avec des païens (c. 12). Il les menace d'une exclusion temporaire de la communion.

Un autre canon (11) témoigne dans sa rédaction même de l'embarras où se trouvait l'Église pour régler la situation d'un chrétien encore jeune séparé de sa femme convaincue d'adultère. Cette séparation est implicitement admise. Il ne faut pas oublier que le droit romain classique laissait au mari la pleine liberté de divorcer, et que, même dans le système très restrictif qu'introduira Constantin [1], l'adultère restera une cause de divorce [2]. Mais le remariage de l'époux non coupable fait difficulté, car l'autoriser serait admettre la dissolubilité de la première union. Aussi le canon déclare-t-il que le remariage est « interdit ». Il poursuit néanmoins : « Il a été décidé de leur conseiller, autant qu'on le pourra, de ne pas se remarier du vivant de leur épouse, même adultère. » Ce passage de la loi prohibitive au simple conseil ne fait que traduire l'embarras du concile devant les rigueurs de la règle et les risques d'un mal plus grave que ferait courir son application sans nuance. Le canon 24 attribué au concile d'Arles rappelle cette interdiction, en l'aggravant par la sanction de la mise à l'écart de la communauté.

Les conciles de la fin du siècle consacrent également certains de leurs canons à des questions matrimoniales ou à des questions de morale sociale.

Celui de Valence (374) frappe de peines canoniques les vierges vouées à Dieu qui violent leur vœu en se mariant (c. 2). Le concile ne déclare pourtant pas la nullité de ces

---

1. *C. Th.* 3, 16, 1 (en 331).
2. L'abandon du conjoint coupable d'adultère et le remariage du conjoint non coupable avaient déjà été envisagé par le c. 9 du concile d'Elvire, mais ce texte n'avait réglé que le cas inverse, celui du remariage de la femme après adultère du mari.

mariages, faisant en cela prévaloir le lien matrimonial sur l'engagement de virginité. C'est le manquement à la parole qui est sanctionné par des pénitences et la mise à l'écart de la communion pendant un certain temps. Ainsi étaient conciliés le respect d'une union qui n'enfreignait pas les prescriptions de la loi séculière et la valeur religieuse des vœux.

Dans un autre cas, la législation conciliaire vient fortifier l'autorité d'actes purement séculiers. Le canon 7 du concile de Nîmes (396) signale les difficultés qu'éprouvent les autorités ecclésiastiques lorsqu'elles veulent protéger les affranchis contre les tentatives de reprise de la part de leurs anciens maîtres. Ceux-ci ne reculent pas devant l'usage de la violence. L'Église ne peut que rappeler, au nom du respect des engagements pris, l'obligation de ne remettre en question ni les affranchissements entre vifs, ni ceux faits par testament.

*
* *

De ces dispositions éparses, est-il possible de dégager quelques conclusions d'ensemble ?

L'une est évidente, c'est le caractère modeste de l'apport conciliaire gaulois du ive siècle. Rien de comparable à ce que l'Orient fournissait à la même époque, ni à ce que sera la législation de l'église wisigothique au viie siècle. Sur neuf conciles, quatre seulement ont laissé des canons disciplinaires, et si l'on met à part celui d'Arles de 314 qui en compte vingt-deux, les autres conciles n'en fournissent respectivement que huit, sept et quatre.

Quelques-uns de ces textes se bornent à régler des incidents locaux et des difficultés passagères, mais d'autres sont de portée générale et connaîtront une fortune durable. Trois canons du concile d'Arles de 314 chemineront à travers les collections canoniques jusqu'au Décret de Gratien [1].

Enfin cette législation conciliaire offre pour l'historien un double intérêt. Elle fournit quelques témoignages sur le difficile passage de la société païenne antique à la société

1. Canons 1, 9 et 13.

chrétienne du haut Moyen Age qui commence à s'ébaucher. Elle permet d'autre part de suivre les progrès de l'organisation ecclésiastique, qu'il s'agisse de la création de cadres hiérarchiques nouveaux (les métropoles), du statut du clergé ou des obligations des laïcs. Cette œuvre novatrice, accomplie dans une période d'instabilité politique, d'insécurité générale et de crises religieuses, fut menée par l'épiscopat gaulois avec une sagesse et un sens de la mesure qui méritent l'admiration.

SOURCES ET BIBLIOGRAPHIE

I. — COLLECTIONS ET MANUSCRITS

Ce sont surtout des collections gauloises ou espagnoles qui nous ont conservé, en tout ou en partie, les canons des conciles du ivᵉ siècle.

Les collections gauloises, dont plusieurs ont vraisemblablement été composées dans la région Vienne-Arles, remontent au viᵉ siècle :

C Collection du ms. de Corbie (B. N., *lat. 12097*), des premières décades du viᵉ s.

Ly Coll. du ms. de Lyon (B. N., *lat. 1452*), peut-être composée peu après 529 et enrichie par la suite

L Coll. du ms. de Lorsch (*Vatic. Palat. lat. 574*), postérieure à 541

K Coll. du ms. de Cologne (*Coloniensis 212*), postérieure à 549

T Coll. du ms. d'Albi (*Tolosanus 364*), de la même époque

M Coll. du ms. de Saint-Maur (B. N., *lat. 1451*), dont la forme première est postérieure à 549 et qui fut complétée jusqu'à la fin du viᵉ s.

R Coll. du ms. de Reims (*Berolinensis Phillippicus 1743*), du viᵉ s.

Les autres collections anciennes sont les suivantes :

N Coll. du ms. de Novare (*Novariensis LXXXIV*), collection espagnole du milieu du viᵉ s. (éd. Martínez-Díez)

Epitome hispanica, collection espagnole du début du viiᵉ s. éd. Martínez-Díez)

Sp Hispana, collection du milieu du viiᵉ s. (éd. González)

D   Coll. du ms. de Diessen (*Monacensis lat. 5508*), de la
       fin du viie s.
A   Coll. du ms. de Saint-Amand (B. N., *lat. 3846*), de la
       fin du viie s.

Il faut ajouter, pour tel ou tel des documents conciliaires :

G   Certains mss de la *Dionysio-Hadriana*, de la seconde
       moitié du viiie s.
B   Le ms. d'Oxford (*Oxoniensis Laudianus misc. 421*), de
       la fin du ixe s.
P   Recueil de documents sur le donatisme (B. N., *lat. 1711*),
       du viiie-ixe s. ; provient de Saint-Paul de Cormery
       (diocèse de Tours)

Au sujet de ces collections et de ces manuscrits, on consul-
tera MUNIER, p. v-xi ; G. LE BRAS, in P. FOURNIER et G. LE
BRAS, *Histoire des collections canoniques en Occident*, t. I,
Paris 1931, p. 41-46 ; BABUT, *Concile de Turin*, p. 215-222 :
« Note sur les manuscrits » ; et sur la transmission des
manuscrits, MAASSEN, p. 188-192 et *passim*.

II. — ÉDITIONS DES CONCILES

BABUT, *Concile de Turin* = E.-Ch. B., *Le concile de Turin.
       Essai sur l'histoire des églises provençales au Ve siècle
       et sur les origines de la monarchie ecclésiastique romaine
       (417-450)*, Paris 1904 [édition du concile, p. 223-231].
BRUNS = H. Th. B., *Canones apostolorum et conciliorum
       saeculorum IV. V. VI. VII*, 2 vol., Berlin 1839.
Conciliorum Oecumenicorum Decreta, 3e éd., Bologne 1973.
CRABBE = P. C., *Concilia omnia*, Cologne 1538, t. I.
C. DE CLERCQ, *Concilia Galliae. A. 511 - A. 695, CCL* 148 A,
       Turnhout 1963.
F. X. FUNK, *Didascalia et Constitutiones apostolorum*, 2 vol.,
       Paderborn 1905.
GONZÁLEZ = F. A. G., *Collectio canonum ecclesiae hispanae*,
       Madrid 1808 ; réimprimé par Migne, *PL* 84.

HARDOUIN = J. H., *Conciliorum collectio regia maxima*, Paris 1714.

LABBE = Ph. L. et G. COSSART, *Sacrosancta concilia ad Regiam editionem exacta*, Paris 1671, t. II.

MANSI = J.-D. M., *Sacrorum conciliorum nova et amplissima collectio*, Florence 1759, t. II et III.

MARTÍNEZ-DÍEZ = G. M., « La colección del manuscrito de Novara », *Anuario de historia del derecho español* 33 (1963), Madrid, p. 391-538.

—— = G. M., « El *Epítome hispánico*. Una colección canónica del siglo VII. Estudio y texto crítico », tiré à part des *Miscelánea Comillas* 36 (1960) ; 37 (1962).

MUNIER = C. M., *Concilia Galliae. A. 314 - A. 506, CCL* 148, Turnhout 1963.

—— *Conc. Afr.* = C. M., *Concilia Africae. A. 345 - A. 525, CCL* 149, Turnhout 1974.

SIRMOND = J. S., *Concilia antiqua Galliae*, Paris 1629, t. I.

SURIUS = L. S., *Tomus primus conciliorum omnium*, Cologne 1567.

TURNER = C. H. T., *Ecclesiae Occidentalis monumenta iuris antiquissima*, I, 2, 2 : *Supplementum Nicaeno-Gallicum* (R. SCHWARTZ), Oxford 1939.

VIVES = J. V., *Concilios visigóticos e hispano-romanos* (*España cristiana*, Textos, I), Barcelone-Madrid 1963.

ZIWSA = C. Z., *S. Optati Milevitani Libri VII, CSEL* 26 [*Epistula ad Siluestrum*, App. III].

Nous nous sommes reporté habituellement aux éditions suivantes :

— pour les *Canons apostoliques* et les *Constitutions apostoliques*, à Funk ;
— pour les principaux conciles orientaux, aux *Conciliorum Oecumenicorum Decreta* ;
— pour les conciles africains, à Munier ;
— pour les conciles gaulois (et les *Statuta ecclesiae antiqua*), à Munier et de Clercq ;
— pour les conciles espagnols, à Vives.

III. — ÉTUDES

BHL   *Bibliotheca Hagiographica Latina*, Bruxelles.
BLE   *Bulletin de Littérature ecclésiastique*, Toulouse.
CCL   *Corpus Christianorum*, Series Latina, Turnhout.
CSEL   *Corpus Scriptorum Ecclesiasticorum Latinorum*,
           Vienne.
C. Th.   *Codex Theodosianus* (Mommsen), Berlin.
DTC   *Dictionnaire de Théologie Catholique*, Paris.
MGH   *Monumenta Germaniae Historica*, Hanovre-Berlin.
  AA   *Auctores antiquissimi*
  SS   *Scriptores*
MSAF   *Mémoires de la Société nationale des Antiquaires de
           France*, Paris.
PG   *Patrologia Graeca* (J.-P. Migne), Paris.
PL   *Patrologia Latina* (J.-P. Migne), Paris.
SC   *Sources Chrétiennes*, Paris.
TLL   *Thesaurus Linguae Latinae*, Munich.
TU   *Texte und Untersuchungen zur Geschichte der alt-
           christlichen Literatur*, Leipzig.

BABUT, *Concile de Turin*, voir II. Éditions des conciles.

BARDY, *De la paix constantinienne...*, voir FLICHE et MAR-
    TIN, t. III.

BLAISE = A. B., *Dictionnaire latin-français des auteurs
    chrétiens*, Turnhout 1954.

BRISSON, *Autonomisme* = J.-P. B., *Autonomisme et christia-
    nisme dans l'Afrique romaine de Septime Sévère à l'inva-
    sion vandale*, Paris 1958.

CHASTAGNOL, « Repli sur Arles » = A. C., « Le repli sur Arles
    des services administratifs gaulois en l'an 407 de notre
    ère », *Revue historique* 97 (1973), p. 23-40.

DE CLERCQ, *Ossius* = V. C. d. C., *Ossius of Cordoba. A contri-
    bution to the history of the Constantinian period*, Washing-
    ton 1954.

DOIGNON = J. D., *Hilaire de Poitiers avant l'exil*, Paris 1971.

DUCHESNE, *Fastes* = L. D., *Fastes épiscopaux de l'ancienne*

Gaule, Paris, t. I, *Les provinces du sud-est*, 1907² ; t. II, *L'Aquitaine et les Lyonnaises*, 1910² ; t. III, *Les provinces du nord et de l'est*, 1915.

DUGUET = J.-J. D., *Conférences ecclésiastiques ou dissertations sur les auteurs, les conciles et la discipline des premiers siècles de l'Église*, Cologne 1742.

A. FLICHE - V. MARTIN, *Histoire générale de l'Église depuis les origines jusqu'à nos jours*, t. III, *De la paix constantinienne à la mort de Théodose*, par J.-R. PALANQUE. G. BARDY, P. DE LABRIOLLE, Paris 1950.

W. H. C. FREND, « Donatismus », *Reallexikon für Antike und Christentum*, Stuttgart 1959, p. 128-147.

J. GAUDEMET, *L'Église dans l'Empire romain (IVe-Ve siècles)*, Paris 1958.

GRASMÜCK = E. L. G., *Coercitio, Staat und Kirche im Donatistenstreit*, Bonn 1964.

GRIFFE = É. G., *La Gaule chrétienne à l'époque romaine*, Paris, 2e éd., t. I, *Des origines chrétiennes à la fin du IVe siècle*, 1964 ; t. II, *L'Église des Gaules au Ve siècle*, 1966.

HEFELE-LECLERCQ = C. J. H. et H. L., *Histoire des conciles*, Paris, t. I, 1907 ; t. II, 1908.

LABRIOLLE, *De la paix constantinienne...*, voir FLICHE et MARTIN, t. III.

MAASSEN = F. M., *Geschichte der Quellen und der Literatur des canonischen Rechts*, t. I, Gratz 1870.

MANDOUZE, « Encore le donatisme » = A. M., « Encore le donatisme. Problèmes de méthode posés par la thèse de J.-P. Brisson », *L'Antiquité Classique*, 29 (1960), p. 61-107.

MARTÍNEZ-DÍEZ, voir II. Éditions des conciles.

MAZZINI = I. M., « Lettera del concilio di Arles (314) a papa Silvestro tradita dal codex Parisinus latinus 1711 (Dubbi intorno alla sua autenticità) », *Vigiliae Christianae* 27 (1973), p. 282-300.

MESLIN, *Ariens* = M. M., *Les Ariens d'Occident*, Paris 1967.

— « Hilaire » = M. M., « Hilaire et la crise arienne », dans *Hilaire et son temps*, *Actes du colloque de Poitiers*, Paris 1969, p. 19-42.

MONCEAUX = P. M., *Saint Martin*, Paris 1927.

MÜNCHEN = M., « Abhandlung über das erste Concil von Arles », *Zeitschrift für Philosophie und spekulative Theologie*, Bonn, IX (1842), XXVI (1856), XXVII (1857).

PALANQUE, « Date du transfert » = J.-R. P., « La date du transfert de la préfecture des Gaules de Trèves à Arles », *Rev. Ét. anc.* 36 (1934), p. 359-365.

— « Dissensions » = J.-R. P., « Les dissensions des églises de Gaule à la fin du ive siècle et la date du concile de Turin », *Revue d'Histoire de l'Église de France* 21 (1935), p. 481-501.

— « Du nouveau sur la date du transfert » = J.-R. P., « Du nouveau sur la date du transfert de la préfecture des Gaules de Trèves à Arles ? », *Provence historique* 23 (1973), p. 29-38.

— *De la paix constantinienne...*, voir FLICHE et MARTIN, t. III.

— *Saint Ambroise et l'Empire romain*, Paris 1933.

STEIN-PALANQUE = E. STEIN, *Histoire du Bas-Empire*, t. I, *De l'État romain à l'État byzantin (284-476)* ; éd. française par J.-R. PALANQUE, 2 vol., Paris 1959.

J. A. STRAUB, « Constantine as κοινὸς ἐπίσκοπος. Tradition and innovation in the representation of the first emperor's majesty », *Dumbarton Oak Papers* 21 (1968), p. 47-48.

NOTE SUR LE TEXTE LATIN

Le texte des actes des conciles gaulois du IVe siècle ici présenté est celui que l'abbé Charles Munier, professeur à l'Université de Strasbourg, a établi pour le *Corpus Christianorum* (*Series latina*, CXLVIII : *Concilia Galliae A. 314 - A. 506*, volume qui couvre aussi tout le Ve siècle). Nous devons à l'obligeance de dom Éloi Dekkers de pouvoir l'utiliser.

Lorsqu'il s'agit de documents conciliaires proprement dits, le texte est celui même de l'édition Munier, mais sans l'appareil critique qui l'accompagne. Certains documents secondaires ont pourtant été omis : listes de *capitula*, listes variées — suivant les divers manuscrits — des souscriptions à un même concile. Ces omissions ont été chaque fois signalées. De même, les principales variantes qui se rencontrent dans la forme des souscriptions ont été indiquées en note.

Parfois la traduction des documents conciliaires s'inspire de leçons autres que celles retenues par le texte latin de l'édition Munier. En ce cas aussi, les divergences ont été signalées.

Lorsqu'il s'agit, non de documents conciliaires, mais de notices historiques empruntées aux œuvres de Sulpice Sévère, de saint Hilaire et de Prosper d'Aquitaine, les passages de ces auteurs qui figurent dans le volume du *Corpus Christianorum* ont été revus sur les éditions citées et parfois retouchés ou complétés.

CONCILE D'ARLES [1]
(1er août 314)

Après l'échec de la conciliation tentée au concile de
Rome de 313 [2], Constantin réunit un concile à Arles pour
régler le conflit entre l'évêque de Carthage, Caecilianus,
et les donatistes [3]. L'empereur adressa une lettre de
convocation aux évêques [4] et mit à leur disposition le
service de la poste impériale pour leur faciliter le voyage.
Des travaux récents ont souligné les ambiguïtés de
cette réunion. Non seulement le caractère plus ou moins
général du concile peut être discuté — en fait, par ses
participants il est « occidental » —, mais on a montré
comment Constantin y voyait une sorte d'instance juri-
dictionnelle constituée par des juges désignés par lui
(*iudices dati* d'une *cognitio* impériale), alors que les
évêques profitèrent de leur réunion pour édicter des
règles disciplinaires [5].

1. Cf. Hefele-Leclercq, I[1], p. 275-298 (pour la date, p. 278,
n. 4 de H. Leclercq) ; Palanque, *De la paix constantinienne...*,
p. 37-39, 46-47 ; Griffe, I, p. 191-200 ; voir aussi Duguet, t. I,
p. 461-556 ; t. II, p. 1-69 ; München, IX, p. 78 ; XXVI, p. 49 ;
XXVII, p. 42.
2. Cf. Hefele-Leclercq, I[1], p. 272-274 ; de Clercq, *Ossius*,
p. 167.
3. Sur le donatisme, parmi les travaux récents (où l'on trouvera
la bibliographie antérieure) : Brisson, *Autonomisme*, p. 247-258,
pour la politique de Constantin (et à propos de ce livre), Mandouze,
« Encore le donatisme » ; Frend, « Donatismus » ; Grasmück.
4. Voir celle qui fut adressée à l'évêque de Syracuse dans Eusèbe
de Césarée, *Hist. Eccl.* X, 5, 21-24.
5. Cf. Grasmück, p. 34 s. ; S. Calderone, *Constantino e il catto-*
licèsimo, I, Florence 1962, p. 230-270, qui distingue l'*episcopale*
iudicium de Rome en 313 et le *concilium arelatense* ; J. A. Straub,
« Constantine as κοινὸς ἐπίσκοπος ».

Le nombre des participants au concile reste incertain. Quelques manuscrits terminent la liste des clercs qui ont souscrit aux actes du concile par la mention « et d'autres très nombreux jusqu'à six cents [1] ». Mais les autres sources ne confirment pas cette allégation [2]. Et l'on ne saurait attacher grand crédit à la formule ampoulée et d'ailleurs imprécise de la lettre de Constantin rapportée par Eusèbe qui fait état de la convocation d' « un très grand nombre d'évêques d'innombrables régions [3] ». Les différentes versions de la liste signalent quarante-quatre sièges épiscopaux représentés au concile, trente-trois par leur évêque [4], les autres par des prêtres ou des diacres [5]. Le pape envoya deux prêtres et deux diacres. L'assemblée fut peut-être présidée par Marinus d'Arles [6]. L'envoi des canons du concile au pape Silvestre et l'invitation qui lui était adressée de les faire connaître à tous attestent la volonté des Pères de faire prévaloir dans toute la Chrétienté les principes disciplinaires élaborés à Arles.

Le concile condamna les donatistes. Mais ceux-ci refusèrent de se soumettre et en appelèrent à l'empereur qui, finalement, fut conduit à intervenir en personne pour condamner les opposants à l'exil et confisquer les biens des communautés dissidentes [7].

1. *Ly*, p. ex. ; cf. Munier, p. 19, et Maassen, p. 190.
2. Sur cette question, cf. Hefele-Leclercq, I[1], p. 275-278 et spécialement p. 276, n. 2, où est écarté l'argument que l'on a voulu tirer d'Augustin, *Ep.* 43, 19.
3. *Hist. Eccl.* X, 5, 23 : πλείστους ἐκ διαφόρων καὶ ἀμυθήτων τόπων ἐπισκόπους. — Sur l'imprécision terminologique en ce domaine et sur l'extrême diversité du ressort territorial des conciles au ive siècle, cf. J. Gaudemet, *L'Église dans l'Empire romain*, p. 452-454.
4. 12 gaulois, 8 africains et autant d'italiens, 1 espagnol, 3 bretons, 1 dalmate. La lettre synodale à Silvestre cite 33 noms, mais tous ne sont pas des noms d'évêques.
5. 4 gaulois, 2 italiens, 5 espagnols. — Sur l'absence d'Ossius de Cordoue, cf. de Clercq, *Ossius*, p. 169-171.
6. Son nom figure en tête de la liste des évêques qu'on lit dans l'adresse de la lettre synodale au pape. Voir aussi *infra*, p. 58, n. 1.
7. Cf. F. Martroye, « La répression du donatisme et la politique religieuse de Constantin et de ses successeurs en Afrique », *MSAF* 83 (1914), p. 23-140 ; Palanque, *De la paix constantinienne...*, p. 47-50.

Mais le concile ne se borna pas à statuer sur l'affaire d'Afrique. La réunion fut l'occasion de poser un certain nombre de règles pour organiser la vie de l'Église au lendemain de la fin des persécutions. Sur certains points, les Pères s'inspirèrent des dispositions arrêtées quelques années plus tôt à Elvire [1]. L'évêque Liberius de Mérida, qui avait siégé à Elvire, figure parmi les souscripteurs du concile d'Arles.

TRANSMISSION : Les canons du concile d'Arles sont conservés dans les collections et manuscrits suivants :

C   Coll. du ms. de Corbie
Ly   Coll. du ms. de Lyon
L   Coll. du ms. de Lorsch
K   Coll. du ms. de Cologne
T   Coll. du ms. d'Albi
M   Coll. du ms. de Saint-Maur
R   Coll. du ms. de Reims
N   Coll. du ms. de Novare (MARTÍNEZ-DÍEZ, p. 414-419)
Epitome hispanica (MARTÍNEZ-DÍEZ, p. 114-115)
Sp   *Hispana*
D   Coll. du ms. de Diessen
A   Coll. du ms. de Saint-Amand
G   Certains mss de la *Dionysio-Hadriana* (ici, B. N., lat. *12448*)
B   Le ms. d'Oxford
P   Recueil de documents sur le donatisme : pour l'*Epistula ad Siluestrum* (forme longue, suivie des canons 1-9 abrégés)

(Sur la transmission de ces canons du concile, consulter plus particulièrement les p. 188-190 de MAASSEN.)

ÉDITIONS : CRABBE, p. 170 ; SURIUS, p. 368 ; SIRMOND p. 5 ; GONZÁLEZ, *PL* 84, c. 237 ; TURNER, p. 381 ; BRUNS, I p. 107- 110.

1. Cf. *infra*, c. 4, 5, 6, 7, 10, 11, 12, 13, 15, 17, 22.

Il faut ajouter pour l'*Epistula ad Siluestrum* : *S. Optati Milevitani Libri VII*, éd. Ziwsa, p. 206-208.

Munier, p. 3-25.

Problèmes posés par l'*Epistula ad Siluestrum* : Cette lettre synodale ne figure, sous sa forme développée, suivie des 9 premiers canons, que dans le ms. *P*, daté par le *Catalogue général* du viiie-ixe s. (Munier, après Ziwsa, dit : du xie). Elle s'y trouve aux fol. 31-32 : *Epistola synodi Arelatensis ad Siluestrum papam.* — Le texte de *P*, très médiocre, a fait l'objet, de la part des éditeurs successifs, de nombreuses corrections. La présente traduction a retenu certaines d'entre elles ; nous les indiquerons lorsqu'elles s'écartent du texte de Munier, ici reproduit (sans son apparat critique). Elle se ressent nécessairement de ces incertitudes.

Les mss qui donnent la collection des 22 canons (avec parfois des omissions) l'introduisent tous par la courte formule d'envoi publiée ci-dessous : « Domino sanctissimo... Quid decreuerimus... obseruare debeant. » Certains d'entre eux y ajoutent trois courtes phrases, identiques, à quelques variantes près, à celles qui terminent la lettre au pape Silvestre, depuis « Placuit ergo... » jusqu'à « ... subiunximus ». C'est le cas pour *N*, *G*, *B* ; également pour *K*, à ceci près qu'il place ce *comma* après le c. 1.

Récemment I. Mazzini, « Lettera del concilio di Arles (314)... », a étudié ces trois formes d'adresse au pape Silvestre, qu'il désigne comme « lettre A » (forme longue de *lat. 1711*), « lettre B » (adresse courte + le *comma* « Placuit... subiunximus »), « lettre C » (adresse courte). La comparaison de ces trois formes l'incite à croire que la collection des canons a été envoyée au pape Silvestre précédée de la « lettre C » ; la « lettre B » représenterait un état un peu postérieur de la tradition ; quant à la « lettre A », on devrait se demander si elle n'a pas été composée après le milieu du ive s. et vraisemblablement à la curie romaine. Les arguments convergents qui feraient croire à l'inauthenticité de « A » sont tirés : 1) de l'étude des clausules métriques, constantes en « A », mais non dans « B » et « C » ni dans les canons ; 2) des conditions particulières de la transmission de « A » ; 3) de l'usage, jugé anachronique, fait par « A » des expressions *gloriosis-sime papa, seuerior fuisset sententia, qui maiores dioeceses tenes*. — Disons seulement que ces arguments, présentés avec talent, ne paraissent pas emporter la conviction : 1) le style de canons conciliaires n'est pas comparable à celui d'une lettre ; 2) si la « lettre A » est transmise dans des conditions parti-culières, on notera que c'est par un ms. du VIIIe-IXe s., et non du XIe ; 3) les termes suspects peuvent trouver des paral-lèles ou être traduits de façon satisfaisante.

LISTE DES ÉVÊQUES : La liste des évêques qui ont pris part au concile nous est transmise sous des formes variées. Elle figure dans l'adresse de l'*Epistula ad Siluestrum* et dans les souscriptions aux actes du concile, ces dernières présen-tant des variantes suivant les mss.

L'édition MUNIER publie séparément la liste des souscrip-tions de *C*, plus les titres que lui donnent deux des tables des matières de ce ms. (p. 14-15), puis celle de *K* (p. 15-17), de *G* et *N* (p. 17), de *Ly* (p. 17-19), de *T* (p. 19-20), de *A* et *D* (p. 21-22). Nous reproduisons seulement la liste de *C* en indiquant, pour les noms de personnes, les variantes les plus utiles. Le ms. *Ly* ajoute, après la mention des clercs d'Ostie : *Et alii plurimi usque ad DC*. Sur les réserves qu'appellent ces listes, cf. HEFELE-LECLERCQ, I^1, p. 276, n. 2.

CONCILIVM ARELATENSE
314. Aug. 1.

(Epistvla ad Silvestrvm)

Dilectissimo papae Siluestrio Marinus, Acratius, Natalis, Theodorus, Proterius, Vocius, Verus, Probatius, Caecilianus, Faustinus, Surgentius, Gregorius, Reticius, Ambitausus, Termatius, Merocles, Pardus, Adelfius, Hibernius, Fortunatus, Aristasius, Lampadius, Vitalis et Maternus, Liberius, Gregorius, Crescens, Auitianus, Dafnus, Orantalis, Quintasius, Victor, Victor, Epictetus in Domino aeternam salutem.

Communi copulo caritati et unitate matris ecclesiae catholicae uinculo inhaerentes, ad Arelatensium ciuitatem piissimi imperatoris uoluntate adducti, inde te, gloriosissime papa, cum merita reuerentia salutamus, ubi grauem ac pernitiosam legis nostrae atque traditionis † ...... † effrenatae mentis homines pertulimus ; quos et Dei nostri praesens et auctoritas et traditio ac regula ueritatis ita respuit ut nulla in illis aut dicendi ratio subsisteret aut accusandi modus ullus aut probatio conueniret. Ideo iudice Deo et matre ecclesiae, quae suos nouit et comprobat, aut damnati sunt aut repulsi. Et utinam, frater dilectissime, ad hoc tantum spectaculum interesses tanti fecisse, profecto credimus quia in eos seuerior fuisset sententia prolata et te pariter nobiscum iudicante coetus

1. Sur les problèmes particuliers posés par cette lettre synodale, voir *supra*, p. 38.
2. A identifier avec Agricius.
3. A identifier avec Imbetausius.
4. A identifier avec Eborius.
5. A identifier avec Anastasius.
6. Tous ces noms se retrouvent dans les souscriptions des actes du concile ; seul celui de Gregorius, qui figure deux fois ici, a dû être répété par erreur. L'ordre est ici très différent ; les formes sont

CONCILE D'ARLES
1er août 314

(Lettre a Silvestre [1])

Au très cher pape Silvestre, Marinus, Acratius [2], Natalis, Theodorus, Proterius, Vocius, Verus, Probatius, Caecilianus, Faustinus, Surgentius, Gregorius, Reticius, Ambitausus [3], Termatius, Merocles, Pardus, Adelfius, Hibernius [4], Fortunatus, Aristasius [5], Lampadius, Vitalis et Maternus, Liberius, Gregorius, Crescens, Avitianus, Dafnus, Orantalis, Quintasius, Victor, Victor, Epictetus [6], salut éternel dans le Seigneur.

Unis par le nœud d'une commune charité et par le lien d'unité [7] de notre mère l'Église catholique, amenés en la cité d'Arles par la volonté du très pieux empereur, c'est de là, très glorieux pape, que nous te saluons avec le respect que tu mérites. Nous y avons supporté une grave et dangereuse attaque [8] de notre loi et de notre tradition (de la part) de gens à l'esprit exalté. Mais face à eux l'autorité présente de notre Dieu, la tradition et la règle de vérité [9] les ont si bien réfutés qu'il ne leur restait plus aucun argument et que ne leur était plus possible aucune forme d'accusation ou de preuve. C'est pourquoi, par le jugement de Dieu et de notre mère l'Église, qui connaît les siens et les approuve, ces hommes ont été condamnés ou rejetés. Ah ! si seulement, frère très cher, tu avais estimé à sa juste valeur ta présence à un spectacle d'une telle importance [10] ! Nous croyons, assurément, que la sentence prononcée contre eux aurait eu plus de poids

souvent altérées : elles ont été indiquées à l'Index des noms propres, à côté des formes retenues.

7. *Vnitatis* pour *unitate* (ms.) : correction de Mazzini, p. 284.

8. Avec Munier, nous proposons < *iniuriam* > pour combler une lacune certaine ; celle-ci a pu être plus étendue.

9. Expression traditionnelle depuis s. Irénée (*Adv. haer.* I, 9, 4).

10. Munier conserve la leçon de *P* : *interesses tanti fecisse* ; nous traduisons la leçon conjecturée par Ziwsa : *interesse tanti fecisses*.

noster maiori laetitia exultasset. Sed quoniam recedere a partibus illis minime potuisti, in quibus et apostoli † cotidie sedent † et cruor ipsorum sine intermissione Dei gloriam testatur...

Non tamen haec sola nobis uisa sunt tractanda, frater carissime, ad quae fueramus inuitati, sed et consulendum dum nobismetipsis consuluimus ; et quam diuersae sunt prouinciae ex quibus aduenimus, ita et uaria contingunt quae nos censemus obseruare debere.

Placuit ergo, praesente Spiritu sancto et angelis eiusdem, ut et de his quae singulos quosque mouebant iudicia proferremus, <quasi> te consistente ; placuit etiam, annuente qui maiores dioeceses tenet, per te potissimum omnibus insinuari. Quid autem sit quod senserimus, scriptis nostrae mediocritatis subiunximus.

1. Id primo in loco de uita nostra atque utilitate tractandum fuit, ut quia « unus pro omnibus mortuus est et resurrexit [a] », ab omnibus tempus ipsum ita religiosa mente obserueuetur, ne diuisiones uel dissensiones in tanto obsequio deuotionis possint exsurgere. Censuimus ergo Pascha Domini per orbem totum una die obseruari.

a. II Cor. 5, 14-15

1. Nous ne tenons pas compte des † mis par MUNIER à ce passage qu'il estime corrompu. MAZZINI fait remarquer, p. 285-286, n. 15, la convenance du mot *sedent* joint à *apostoli* : il s'agit du Siège apostolique.

2. Phrase incomplète.

3. Traduction qui ne tient pas compte de *dum* (*P*) maintenu par MUNIER et supprimé comme un doublet par ZIWSA (qui corrige *consuluimus* en *censimus*). « Consulendum nobis consuluimus » semble ici un effet de style.

4. Ici commence (*Placuit ergo...*) le court passage (*comma*) qui se retrouve, avec des variantes, dans les mss *N*, *G*, *B* et *K* (cf. ci-dessus, p. 38). L'édition MUNIER tient compte de ces autres témoins, mais texte et sens demeurent peu sûrs.

5. < *quasi* > *te consistente* : *P*, suivi par ZIWSA et MAZZINI, donne un tout autre texte difficile : *de quiete praesenti*, qu'il faudrait comprendre : « maintenant que nous sommes en paix » (les hérétiques une fois réduits au silence).

et qu'à te voir juger en conformité avec nous, notre
assemblée aurait été transportée d'une plus grande allé-
gresse. Mais puisque tu n'as pas pu du tout quitter les
lieux où résident toujours [1] les apôtres et où leur sang
porte sans relâche témoignage à la gloire de Dieu... [2].

Nous avons pourtant estimé, frère très cher, que nous ne
devions pas traiter seulement des questions pour lesquelles nous avions été convoqués, et nous avons décidé
de prendre les mesures qui nous concernent nous-mêmes [3].
Et à la diversité des provinces dont nous venons répond
la variété des règles que nous estimons devoir observer.

Il a donc paru bon [4], en présence de l'Esprit-Saint et
de ses anges, que nous portions des jugements sur les
points soulevés par chacun, comme si tu étais présent [5].
Il a paru bon aussi que nous ayons l'assentiment de celui
qui préside à des circonscriptions plus importantes [6], et
que ce soit par toi de préférence que notification en soit
faite à tous. Ce que sont nos décisions, nous l'avons joint
ci-dessous à la lettre de notre petitesse [7].

1. Ce qu'il y eut à régler en premier lieu, touchant
notre vie et notre profit, c'est que, puisqu' « un seul est
mort et est ressuscité pour tous [a] », ce temps-là soit
observé si religieusement par tous que ni divisions ni
dissensions ne puissent surgir dans l'observance d'une
telle dévotion. C'est pourquoi nous avons décidé que la
Pâque du Seigneur serait observée le même jour dans le
monde entier.

---

6. *Annuente... tenet* : le texte exact défie toute restauration, mais
le sens général n'est pas douteux. — « Que faut-il entendre par ces
' circonscriptions majeures ' ? Il semble bien qu'elles désignent, à
la fois, Rome, l'Italie et l'Occident tout entier » (GRIFFE, I, p. 200,
qui commente plus largement ces termes).

7. La lettre à Silvestre donne ici le texte, en partie abrégée, des
9 premiers canons du concile. Seul le c. 1 est très différemment
rédigé. Le c. 9 se termine par un *et cetera* qui montre que le rédacteur de la lettre, ou plutôt peut-être le copiste du seul ms. qui nous
l'ait transmise, a renoncé à copier la totalité des canons. — On
trouvera plus loin, jointe à la série complète, les explications que
requièrent ces canons.

2. De his quoque qui quibuscumque locis ordinati fuerint ministri, in ipsis locis perseuerent.

3. De his agitur etiam qui arma proiciunt in pace, placuit abstineri eos a communione.

4. De circissariis agitatoribus qui fideles sunt, placuit eos, quamdiu agitant, a communione separari.

5. De theatricis, ipsos placuit, quamdiu agunt, a communione separari.

6. De his agitur qui in infirmitate sunt constituti et credere uolunt, placuit eis manum imponi.

7. De praesidibus autem qui fideles sunt et ad praesidatum consilium, ita placuit ut, cum promoti fuerint, litteras quidam accipiant ecclesiasticas communicatorias, ita tamen ut, in quibuscumque locis gesserint, ab episcopo eiusdem loci cura illis agatur, et si coeperint contra disciplinam agere, tunc demum a communione excluduntur.

8. Et de his quidem qui in re publica agere uolunt similiter.

9. De Africa autem quod propria lege sua utantur ut rebaptizent, placuit ut ad ecclesiam si aliqui hereticus uenerit, interrogent eum symbolum et, si peruiderint eum in Patre et Filio et Spiritu sancto esse baptizatum, manus tantum ei imponatur. Quod si interrogatus symbolum non responderit trinitatem hanc, merito baptizetur.

Et cetera.

Tunc taedians iussit omnes ad suas sedes redire. Amen.

---

1. MUNIER indique qu'il faut, au lieu de *consilium* — qu'il conserve dans le texte (avec *P*) —, lire *prosiliunt*, comme dans le c. 7 de la série complète. — A la fin du canon, lire *excludantur*.
2. *Quidam* : lire *quidem*.

2. Pour ceux qui ont été ordonnés ministres en quelque lieu, qu'ils demeurent en ce lieu-là.

3. Au sujet de ceux qui mettent bas les armes en temps de paix, il a été décidé de les tenir à l'écart de la communion.

4. Pour les cochers du cirque qui sont fidèles, il a été décidé que, tant qu'ils conduisent, ils soient tenus à l'écart de la communion.

5. Pour les gens de théâtre, il a été décidé que, tant qu'ils jouent, ils soient tenus à l'écart de la communion.

6. Au sujet de ceux qui se trouvent malades et qui veulent croire, il a été décidé de leur imposer les mains.

7. Pour les gouverneurs qui sont fidèles et s'engagent [1] dans la vie administrative, il a été décidé qu'après leur désignation, ils reçoivent [2] des lettres ecclésiastiques de communion, avec cette condition que partout où ils exerceront leurs fonctions, ils soient surveillés par l'évêque du lieu, et que, s'ils viennent à commettre des actes contraires à la discipline (ecclésiastique), alors seulement ils soient exclus de la communion.

8. Pour ceux aussi qui veulent exercer une fonction publique, il en ira de même.

9. A propos des Africains [3], qui pratiquent une règle qui leur est propre, celle de réitérer le baptême, il a été décidé que si quelqu'un vient de l'hérésie à l'Église, on l'interroge sur le Symbole et que si l'on voit avec certitude qu'il a été baptisé dans le Père et le Fils et l'Esprit-Saint, on lui impose seulement les mains. Mais si, interrogé sur le Symbole, il ne répond pas en proclamant cette Trinité, qu'on le baptise à juste titre.

Et toute la suite.

Alors, à regret, il fut ordonné à tous de regagner leur diocèse. Amen.

---

3. *De Africa* : lire *de Afris*, comme dans le c. 9 (8) de la série complète.

CANONES AD SILVESTRVM
(INCIPIT SYNODVS ARELATENSIS)

Domino sanctissimo fratri Siluestro coetus episcoporum qui adunati fuerunt in oppido Arelatensi.

Quid decreuerimus communi consilio caritati tuae
significauimus, ut et <omnes> episcopi sciant quid in
futurum obseruare debeant.

1. Primo in loco de obseruatione Paschae dominicae :
ut uno die et uno tempore per omnem orbem a nobis
obseruaretur, ut iuxta consuetudinem litteras ad omnes
tu dirigas.

2. De his qui in quibuscumque locis ordinati fuerint
ministri : in ipsis locis perseuerent.

---

1. Sur les intitulés variables donnés à cette série conciliaire dans
les divers mss, cf. MUNIER, p. 7, qui donne en outre les *tituli* ou
capitula des 22 (ou 21) canons, tels qu'ils figurent dans les tables
de *M* (p. 23), de *A* (p. 23-24) et de *Sp* (p. 24).

2. Sur l'addition figurant ici dans *N, G, B,* voir ci-dessus, p. 38.

3. Texte repris dans le Décret de Gratien (Dist. 3 *de consecr.*,
c. 26). Les difficultés soulevées par la détermination de la date de
Pâques et le désir de célébrer cette fête le même jour dans toutes
les communautés sont anciens. La question avait préoccupé Constantin (EUSÈBE, *Vita Constantini*, III, 5). Le concile d'Arles suggère de laisser le pape fixer une date uniforme pour toute la Chrétienté. Mais ce projet échoua. Le concile de Nicée, en 325, souhai-
tera un accord entre Rome et Alexandrie, et le concile de Sardique,
en 343-344, élaborera un compromis qui durera jusqu'à la fin du
ve s. Le souci d'unité dans la célébration de Pâques revient dans

CANONS ENVOYÉS A SILVESTRE
(ICI COMMENCE LE CONCILE D'ARLES [1])

A notre seigneur et très saint frère Silvestre, l'assemblée des évêques réunis en la ville d'Arles.

Ce que nous avons décidé d'un commun accord, nous le portons à la connaissance de ta Charité, afin que tous les autres évêques sachent ce qu'ils doivent observer à l'avenir [2].

1. En premier lieu, quant à l'observance de la Pâque du Seigneur : qu'elle soit observée par nous dans le monde entier le même jour et en même temps ; et que tu adresses des lettres à tous conformément à la coutume [3].

2. Pour ceux qui ont été ordonnés ministres en quelque lieu, qu'ils demeurent en ce lieu-là [4].

divers textes conciliaires (p. ex., concile de Carthage de 397, c. 34 et 51, de 401, c. 73 : Munier, *Conc. Afr.*, p. 183, 189, 202) et dans des lettres pontificales (p. ex., Léon le Grand, *Ep.* 121 ; 133 ; 134 ; 138 ; 142). — Sur la date de Pâques, cf. L. Duchesne, *Origines du culte chrétien*, 5e éd., Paris 1925, p. 249-252 ; Hefele-Leclercq, I[1], p. 133-151 et 450-477 ; M. Righetti, *Manuale di Storia liturgica*, II, Milan 1946, p. 183-186.

4. Cf. *infra*, c. 21. Il s'agit du principe de l'appartenance des clercs à l'église dans laquelle ils ont été ordonnés. Il s'explique par la règle de l'Église ancienne selon laquelle il ne devait pas y avoir d'« ordination sans titre », c'est-à-dire que toute collation d'un degré d'ordre était faite en vue d'assurer dans la communauté une fonction déterminée. Il était donc nécessaire pour que cette fonction soit effectivement remplie que le clerc restât là où il avait été affecté. A cette raison juridique s'ajoutait le désir d'un certain contrôle de la communauté sur les mérites et la valeur des candidats aux ordres, contrôle que facilitaient un recrutement local et la stabilité des fonctions. Voir, dans le même sens, concile de Nicée, c. 15 et 16, où le terme de *loca* est rendu par παροικία (c'est-à-dire la communauté chrétienne locale) ; concile d'Antioche de 341, c. 21 ; *Canons apostoliques*, c. 13 (14) et 14 (15). Les deux canons de Nicée figurent au Décret de Gratien, Dist. 71, c. 3, et Causa 7, q. 1, c. 19 et 23.

3. De his qui arma proiciunt in pace, placuit abstineri eos a communione.

4. De agitatoribus qui fideles sunt, placuit eos, quamdiu agitant, a communione separari.

5. De theatricis, et ipsos placuit, quamdiu agunt, a communione separari.

6. De his qui in infirmitate credere uolunt, placuit eis debere manum imponi.

7. De praesidibus qui fideles ad praesidatum prosiliunt, ita placuit ut, cum promoti fuerint, litteras accipiant ecclesiasticas communicatorias, ita tamen ut, in

---

1. *Arma proicere* signifie : mettre bas les armes (César, *Bell. civ.* III, 98, 1 ; *Bell. gall.* VII, 40, 6 ; cf. Virgile, *Aen.* VI, 835). Mais on a beaucoup discuté du sens de ce canon et on a proposé de nombreuses corrections du texte (cf. Hefele-Leclercq, I¹, p. 282-283). Si l'on écarte ces corrections arbitraires, on ne peut que constater que le concile d'Arles condamne ici le refus du service militaire. Le c. 12 du concile de Nicée prendra une mesure différente, mais dans une situation politique elle aussi très différente et en envisageant seulement le cas de ceux qui, après avoir renoncé au service, y reviendraient. A la fin du ivᵉ s. et au début du vᵉ s. Ambroise (J.-R. Palanque, *Saint Ambroise et l'Empire romain*, p. 332-334) et s. Augustin (G. Combès, *La doctrine politique de saint Augustin*, Paris 1927, p. 220-224 ; cf. *Ep.* 105 ; 189 ; *De civitate Dei*, I, 26), exposeront une doctrine très nuancée, qui n'interdit pas aux chrétiens tout service des armes.

2. *Abstineri a communione* : la terminologie est imprécise. On retrouve *abstineri a communione* (c. 13), mais aussi *a communione separari* (c. 4 ; 5 ; 12 ; 17), *excludi* (c. 7), *non communicare* (c. 15), *alienum esse a communione* (c. 24). *Excommunicare* n'apparaît que dans la seconde moité du ivᵉ s. (concile de Paris de 360/361, c. 4 ; concile de Carthage de 390, c. 8 ; concile de Riez de 439, c. 3 et VII ; *Statuta ecclesiae antiqua*, où le terme est assez fréquent). Cette imprécision du vocabulaire pourrait laisser un doute sur la nature de la sanction : privation de la communion ou mise à l'écart de la communauté (qui entraîne *a fortiori* la privation de la communion). Mais la sanction limitée à la privation de l'eucharistie est presque totalement inconnue avant le vιᵉ s. Il s'agit ici — quelle que soit la formule utilisée — d'une exclusion de la communauté (cf. P. Hinschius, *System des Katholischen Kirchenrechts mit besonderer Rücksicht auf Deutschland*, Berlin 1869-1897, t. IV, p. 704-709). La ter-

3. Pour ceux qui mettent bas les armes en temps de paix [1], il a été décidé de les tenir à l'écart de la communion [2].

4. Pour les cochers [3] qui sont fidèles [4], il a été décidé que, tant qu'ils conduisent, ils soient tenus à l'écart de la communion.

5. Pour les gens de théâtre aussi, il a été décidé que, tant qu'ils jouent, ils soient tenus à l'écart de la communion [5].

6. Pour ceux qui, étant malades, veulent croire, il a été décidé que l'on devait leur imposer les mains [6].

7. Pour les gouverneurs qui sont fidèles et s'engagent dans la vie administrative, il a été décidé qu'après leur désignation, ils reçoivent des lettres ecclésiastiques de communion [7], avec cette condition que partout où ils

minologie grecque des conciles orientaux du IVe s. confirme cette interprétation (voir en particulier concile de Nicée, c. 5).

3. Il s'agit des conducteurs de char dans les jeux du cirque, comme le précise ce même canon sous sa forme plus complète (ci-dessus, p. 44). Cette mesure avait déjà été prise par le concile d'Elvire, c. 62, qui parle des « auriges » en même temps que des « pantomimes », mentionnés ici au c. 5.

4. C'est-à-dire baptisés et non de simples catéchumènes. Même expression aux c. 7, 11 (10) et 12 (11).

5. Cf. *supra*, n. 2. Les solutions des c. 4 et 5 sont reprises au c. 22 de la collection plus tardive dite « IIe concile d'Arles » : cf. Munier, p. 118. Sur l'attitude de l'Église à l'égard des acteurs et des coureurs de char, cf. J. Gaudemet, *L'Église dans l'Empire romain*, p. 704-705. Une constitution de Valentinien Ier (*C. Th.* 15, 7, 1) autorise à donner le viatique aux acteurs pourvu qu'ils en aient exprimé le désir et que l'évêque y consente ; voir également concile de Carthage de 397, c. 33 (Munier, *Conc. Afr.*, p. 42 ; repris comme c. 45, p. 186).

6. Cf. concile d'Elvire, c. 39. Cette imposition des mains, en les intégrant parmi les catéchumènes, faisait d'eux des chrétiens et garantissait donc la possibilité de leur salut s'ils mouraient pendant leur maladie (cf. Hefele-Leclercq, I[1], p. 244 et 284). Le concile de Carthage de 397, c. 32 (Munier, *Conc. Afr.*, p. 42 ; repris comme c. 45, p. 186) ira plus loin en autorisant le baptême des malades.

7. Ces lettres de recommandation sont l'habituel moyen d'accréditer un chrétien auprès d'une communauté à laquelle il n'appartient pas : *infra*, c. 10 (p. 51 et n. 6).

Conciles gaulois.   4

quibuscumque locis gesserint, ab episcopo eiusdem loci
cura illis agatur, et cum coeperint contra disciplinam
agere, tunc demum a communione excludantur.

8. Similiter et de his qui rem publicam agere uolunt.

9 (8). De Afris quod propria lege sua utuntur ut rebaptizent, placuit ut si ad ecclesiam aliquis de haeresi uenerit, interrogent eum symbolum et, si peruiderint eum in
Patrem et Filium et Spiritum sanctum esse baptizatum,
manus ei tantum imponatur ut accipiat Spiritum sanctum. Quod si interrogatus non responderit hanc trinitatem, baptizetur.

10 (9). De his qui confessorum litteras afferunt, placuit
ut, sublatis eis litteris, alias accipiant communicatorias.

11 (10). De his qui coniuges suas in adulterio deprae-
hendunt et idem sunt adulescentes fideles et prohibentur

---

1. Le c. 56 du concile d'Elvire, pour un cas voisin — celui du
magistrat municipal —, avait écarté ces magistrats de l'Église pendant leur année de charge. Dans une société encore païenne les
magistrats étaient en effet obligés de participer à des cérémonies
religieuses condamnées par la foi chrétienne. La solution plus libérale adoptée par le concile d'Arles (autorisation d'exercer des fonctions publiques sous contrôle épiscopal) s'explique, au moins en
partie, par le changement de la politique religieuse de l'Empire.

2. Ce canon est omis dans certains mss (cf. MUNIER, p. 15). d'où
le décalage de numérotation des canons suivants dans plusieurs
collections. Certains éditeurs l'ont rattaché au c. 7.

3. Application du principe émis dans l'*Epistula ad Siluestrum*
(ci-dessus, p. 43) : « A la diversité des provinces dont nous venons
répond la variété des règles que nous estimons devoir observer. »

4. Cette imposition des mains opère le don du Saint-Esprit que
le baptême hérétique, bien que conféré dans les formes prescrites
par l'Église, n'avait pu réaliser, comme le précisera LÉON LE GRAND,
Ep. 159, 7 : « quia formam tantum baptismi sine sanctificationis
uirtute susceperunt » (*PL* 54, c. 1139 ; cf. *Ep.* 168, 18, *ibid.*, c. 1200).
— Cf. dans le même sens le c. 8 de la lettre du pape Sirice à l'épiscopat africain, reprise dans le c. 28 attribué au concile (*infra*, p. 66).

5. Décret de Gratien, Dist. 4 *de consecr.*, c. 109. — Sur les controverses théologiques et les divergences disciplinaires relatives au
baptême des hérétiques, cf. HELEFE-LECLERCQ, I¹, p. 172-191 ;
BRISSON, *Autonomisme*, p. 78-121 à propos du conflit entre le pape

exerceront leurs fonctions, ils soient surveillés par l'évêque du lieu [1], et que, s'ils viennent à commettre des actes contraires à la discipline (ecclésiastique), alors seulement ils soient exclus de la communion.

8. De même pour ceux qui veulent exercer une fonction publique [2].

9 (8). A propos des Africains, qui pratiquent une règle qui leur est propre, celle de réitérer le baptême [3], il a été décidé que si quelqu'un vient de l'hérésie à l'Église, on l'interroge sur le Symbole et que si l'on voit avec certitude qu'il a été baptisé dans le Père et le Fils et l'Esprit-Saint, on lui impose seulement les mains [4] pour qu'il reçoive l'Esprit-Saint. Mais si, interrogé, il ne répond pas en proclamant cette Trinité, qu'on le baptise [5].

10 (9). Pour ceux qui apportent des lettres de confesseurs, il a été décidé qu'on leur retire ces lettres et qu'ils en reçoivent d'autres, de communion [6].

11 (10). Pour ceux qui surprennent leur épouse en délit d'adultère et qui par ailleurs sont des fidèles encore

---

Étienne et s. Cyprien en 255-257, et p. 138-188 pour le débat du IVe s. Les conciles de Carthage de 255 et 256 exigeaient la réitération du baptême de l'hérétique, et s. CYPRIEN qui présida ces conciles approuva cette doctrine (*Ep.* 70, 72, 74). La solution plus nuancée adoptée par le concile d'Arles était celle de l'évêque de Rome. Elle a prévalu dans l'Église catholique et se retrouve dans les canons du concile de Trente, Sess. VII (1547), *de bapt.*, c. 4. Sur la réitération du baptême imposée aux paulianistes, cf. concile de Nicée, c. 19.

6. Le sens de ce canon est éclairé par la comparaison avec le c. 25 d'Elvire : « Omnis qui adtulerit litteras confessorias, sublato nomine confessoris, eo quod omnes sub hac nominis gloria passim concutiant simplices, communicatoriae ei dandae sunt litterae », c'est-à-dire : « Toutes les fois que quelqu'un présentera des lettres de confesseur, il faut faire disparaître ce titre de confesseur — car tout le monde, un peu partout, se vante de ce titre pour impressionner les gens simples — et lui donner des lettres de communion. » Il s'agit donc de lettres de recommandation où étaient spécifiée la qualité de « confesseur » du porteur, et non de lettres délivrées par des « confesseurs » (analogues aux anciens *libelli pacis* ou « lettres d'indulgence »). Celles qu'il faut leur substituer sont les simples lettres de communion, dont il est question déjà au c. 7.

nubere, placuit ut, quantum possit, consilium eis detur
ne alias uxores, uiuentibus etiam uxoribus suis licet adul-
teris, accipiant.

12 (11). De puellis fidelibus quae gentilibus iunguntur,
placuit ut aliquanto tempore a communione separentur.

13 (12). De ministris qui fenerant, placuit eos iuxta
formam diuinitus datam a communione abstineri.

14 (13). De his qui scripturas sanctas tradidisse dicun-
tur uel vasa dominica uel nomina fratrum suorum, placuit nobis ut quicumque eorum ex actis publicis fuerit
detectus, non uerbis nudis, ab ordine cleri amoueatur.
Nam si idem aliquos ordinasse fuerint depraehensi et de
his quos ordinauerunt ratio subsistit, non illis obsit ordinatio. Et quoniam multi sunt qui contra ecclesiam repu-

---

1. Nous conservons le texte de l'édition MUNIER donné pa-
11 mss, dont 2 des vie et viie s. La correction proposée par P. NAUT
TIN, « Le canon du concile d'Arles de 314 sur le remariage après
divorce », *Rech. Sc. rel.* 61 (1973), p. 353-362, introduisant une
négation (< *non* > *prohibentur nubere*), a l'avantage de faire disparaître une certaine incohérence dans le canon, mais ne trouve
pas d'appui dans la tradition manuscrite, si ce n'est dans une collection canonique du viiie s., l'*Herovalliana* (*PL* 99, c. 1057 — sur
cette collection, cf. H. MORDEK, *Kirchenrecht und Reform im Frank-
reich* (*Beiträge zur Geschichte und Quellenkunde des Mittelalters I*),
Berlin - New York 1975, p. 109-143). La lecture traditionnelle est
défendue par H. CROUZEL, « A propos du concile d'Arles. Faut-il
mettre *non* avant *prohibetur nubere* dans le canon 11 (ou 10) du
concile d'Arles de 314 sur le remariage après divorce ? », *BLE* 75
(1974), p. 25-40 (avec une contribution de É. GRIFFE).
2. Cf. *infra*, c. 24 (attribué au concile). Le concile d'Elvire ne
s'était occupé que du remariage de la femme dont le mari s'était
rendu coupable d'adultère. Il prohibait ce remariage et sanction-
nait cette défense par la privation de la communion jusqu'au décès
du premier mari (sauf en cas de danger de mort de l'épouse rema-
riée). La disposition prise à Arles affirme, pour le cas d'adultère
de l'épouse, un principe : l'interdiction du remariage ; mais il en
mesure les difficultés et les risques surtout à l'égard d'hommes
encore jeunes : d'où la formule nuancée de la seconde partie du texte.
La législation romaine se montrait beaucoup plus libérale : voir
supra, Introd., p. 24. Pour le remariage après renvoi du premier
conjoint, cf. concile de Carthage du 13 juin 407, c. 102 (MUNIER,
Conc. Afr., p. 218), et concile de Vannes de 461-491, c. 2. Sur cette

jeunes, auxquels il est interdit de se remarier [1], il a été
décidé de leur conseiller, autant qu'on le pourra, de ne
pas prendre d'autre épouse du vivant de leur épouse,
même adultère [2].

12 (11). Pour les jeunes filles fidèles qui épousent des
païens, il a été décidé qu'elles soient tenues à l'écart de la
communion pendant un certain temps [3].

13 (12). Pour les ministres du culte qui prêtent à intérêt, il a été décidé que, conformément à la règle donnée
par Dieu, ils soient tenus à l'écart de la communion [4].

14 (13). Pour ceux dont on dit qu'ils ont livré les
livres saints, les vases sacrés ou le nom de leurs frères,
nous avons décidé que quiconque parmi eux serait convaincu par des actes officiels, et non par de simples décla-
rations, serait exclu de l'ordre du clergé [5]. Si par ailleurs
on découvrait que ces gens-là ont procédé à des ordinations et que de bonnes raisons existent en faveur de ceux
qu'ils ont ordonnés, que cette ordination ne soit pas pour
ceux-ci un empêchement [6]. Et parce que nombreux sont

question et l'attitude nuancée de la doctrine chrétienne aux ive et
ve s., cf. J. GAUDEMET, *L'Église dans l'Empire romain*, p. 405-545 ;
pour la législation séculière, voir en dernier lieu Fr. DELPINI, *Divor-
zio e separazione dei conjugi nel diritto romano e nella dottrina della
chiesa fino al secolo V*, Turin 1956 ; Th. MAYER-MALY, « Trauerzeit
und Wiederheirat », *Im Dienste des Rechtes in Kirche und Staat
(Festschrift für Fr. Arnold)*, Vienne 1963, p. 314-330.
3. Le c. 15 du concile d'Elvire avait déjà marqué son hostilité
à de telles unions, mais sans formuler de sanction.
4. Décret de Gratien, Causa 14, q. 4, c. 2.
5. Il s'agit des *traditores* qui, pendant les persécutions de Dioclétien, ont livré les livres saints pour qu'ils soient brûlés ou les vases
sacrés pour qu'ils soient confisqués, ou qui ont donné les noms des
chrétiens aux persécuteurs (sur les « traditeurs », cf. BRISSON,
Autonomie, p. 125-129). La peine édictée par le canon prouve que
celui-ci ne concernait que les clercs *traditores*.
6. Autrement dit, l'ordination demeurera « valide ». On notera
que le texte n'est pas établi avec toute sécurité, du moins pour les
mots : *et de his quos ordinauerunt ratio subsistit*. On pourrait opter
pour : *et hi quos ordinauerunt rationales subsistunt* : « et que ceux
qu'ils ont ordonnés sont des gens dignes et capables » (HEFELE-
LECLERCQ, I[1], p. 290).

gnare uidentur et per testes redemptos putant se ad accu-
sationem admitti debere, omnino non permittantur, nisi
ut supra diximus, actis publicis docuerint.

15 (14). De his qui falso accusant fratres suos, placuit
eos usque ad exitum non communicare.

16 (15). De diaconibus quos cognouimus multis locis
offerre, placuit minime fieri debere.

17 (16). De his qui pro delicto suo a communione
separantur, ita placuit ut, in quibuscumque locis fuerint
exclusi, eodem loco communionem consequantur, (17) ut
nullus episcopus alium episcopum inculcet.

18. De diaconibus Vrbicis : ut non sibi tantum prae-
sumant, sed honorem presbyteris reservent, ut sine conscientia ipsorum nihil tale faciant.

---

1. *Non communicare* n'a pas une signification autre que *a communione separari* ou *abstineri* ; cf. *supra*, p. 48, n. 2.

2. La disposition prise par le c. 15 se trouvait déjà dans le c. 75
du concile d'Elvire, mais ce concile — qui ne vise d'ailleurs que le
cas de fausse accusation contre un clerc élevé aux ordres majeurs —
n'admettait même pas la réconciliation *in articulo mortis*.

3. Le mot *offerre* doit s'entendre de l'oblation eucharistique. « Il
y a manifestement ici une allusion au rite de la concélébration. Au
moment de la prière eucharistique, les diacres se joignent aux
prêtres : par la place qu'ils occupent et peut-être aussi par les
gestes qu'ils accomplissent, ils font figure de concélébrants »
(Griffe, I, p. 196 ; du même : « A propos de trois canons du concile d'Arles de 314 », *BLE* 54 [1953], p. 75-83).

4. Sur les abus des diacres, cf. *infra*, c. 18. Autres dispositions
conciliaires tendant à ramener les diacres à leurs fonctions : concile
de Nicée, c. 18 ; concile de Laodicée, c. 20 ; *Statuta eccl. ant.*, c. 58-61 ;
Gélase I, *Ep.* 14, 7 et 8 (Thiel, p. 366).

5. Cf. conciles d'Elvire, c. 53 ; de Nicée, c. 5 ; d'Antioche, en
341, c. 6 ; de Sardique, c. 13. Cette mesure a pour objet de garantir

ceux que l'on voit s'opposer à l'Église et qui croient pouvoir être admis comme accusateurs en produisant des témoins achetés, cela ne sera absolument pas permis ; ce sera seulement, comme il a été dit plus haut, s'ils peuvent se prévaloir de documents officiels.

15 (14). Pour ceux qui accusent faussement leurs frères, il a été décidé qu'ils soient exclus de la communion [1] jusqu'à leur mort [2].

16 (15). Pour les diacres, dont nous avons appris qu'en beaucoup de lieux ils offrent (le sacrifice) [3], il a été décidé que cela ne doit absolument pas se faire [4].

17 (16). Pour ceux qui, en raison de leur faute, sont exclus de la communion, il a été décidé que là où ils ont été écartés, là aussi ils soient reçus à la communion [5]. (17) Qu'aucun évêque n'empiète sur les droits d'un autre évêque [6].

18. Pour les diacres de la Ville, qu'ils n'aient pas tant de prétentions, mais qu'ils observent le respect dû aux prêtres, de manière à ne rien faire de tel à leur insu [7].

un contrôle juridictionnel efficace sur les membres de la communauté. Elle avait déjà été observée par le pape Corneille, qui avait refusé de recevoir à la communion Felicissimus excommunié par les évêques d'Afrique (CYPRIEN, *Ep.* 59, 1) ; cf. également BASILE DE CÉSARÉE, *Ep.* 61 ; SYNÉSIUS DE CYRÈNE, *Ep.* 58.
6. Dans de nombreux mss (cf. MUNIER, p. 12) cette phrase constitue un canon distinct. — Sur de tels abus, cf. *infra*, c. 26 ; concile d'Antioche, c. 9, 13 et 22 ; de Sardique, c. 11 et 15 [grec] ; 14, 18, 19 [latin] ; de Constantinople en 381, c. 2 ; de Nîmes, c. 4 ; de Chalcédoine en 451, c. 20 ; *Canons apostoliques*, c. 34 (36).
7. Ce canon vise les prétentions des diacres romains. « Il est rédigé en termes fort vagues : on y fait allusion, semble-t-il, à des querelles de préséance qui ont opposé ces diacres à des prêtres qui certainement ne sont pas ceux de Rome... Est-ce un écho des querelles qui auraient surgi à l'occasion même du concile, où nous savons que se trouvaient deux diacres venus de Rome ? La chose est bien possible... » (GRIFFE, I, p. 198-199 ; du même : « A propos de trois canons... »). — Sur les abus des diacres, et spécialement des diacres romains, cf. F. PRAT, « Les prétentions des diacres romains au ive s. », *Rech. Sc. Rel.* 3 (1912), p. 463 s. ; cf. aussi p. 16, n. 2.

19. De episcopis peregrinis qui in Vrbem solent uenire, placuit eis locum dari ut offerant.

20. De his qui usurpant sibi solis debere episcopum ordinare, placuit ut nullus hoc sibi praesumat, nisi assumptis secum aliis septem episcopis ; si tamen non potuerit <septem>, infra tres non audeant ordinare.

21. De presbyteris aut diaconibus, qui solent remittere loca sua in quibus ordinati sunt et ad alia <loca> se transferunt, placuit ut his locis ministrent ; quod si relictis locis suis ad alium se locum transferre uoluerint, deponantur.

22. De his qui apostatant et nunquam se ad ecclesiam repraesentant, ne quidem paenitentiam agere quaerunt et postea, infirmitate arrepti, petunt communionem, placuit eis non dandam communionem, nisi reualuerint et egerint « dignos fructus paenitentiae [b] ».

Subscriptiones

Incipit nomina episcoporum cum clericis suis uel quanti uel ex quibus prouinciis ad Arelatense synhodo conue-

---

b. Lc 3, 8

---

1. « Ici encore (cf. c. 16), ce canon ne peut bien se comprendre que si on tient compte de l'usage de la concélébration. Ce que veulent les évêques, c'est que, lorsqu'ils sont à Rome, et qu'ils assistent à la synaxe eucharistique, ils ne soient pas laissés de côté, mais soient admis à prendre place auprès des évêques suburbicaires et des membres du *presbyterium* romain qui concélèbrent avec le pape » (GRIFFE, I, p. 199 ; du même : « A propos de trois canons... »).

2. *Ordinare episcopum* : l'expression est fréquente pour désigner la consécration épiscopale. *Ordinare* signifie en effet conférer un degré d'ordre et en même temps affecter à une fonction déterminée dans une communauté donnée.

3. Le concile de Nicée (c. 4), qui exige en principe la consécration en présence de tous les évêques de la province, se contentera de trois évêques en cas de nécessité. Sur les divergences disciplinaires entre l'Orient et l'Occident à ce sujet et les difficultés que

19. Pour les évêques étrangers qui selon la coutume se rendent à la Ville, il a été décidé qu'une place leur soit donnée pour qu'ils offrent (le sacrifice) [1].

20. Pour ceux qui prétendent avoir le droit d'ordonner seuls un évêque [2], il a été décidé que personne ne s'arroge pareil droit, mais que ce soit seulement après s'être adjoint sept évêques ; toutefois, s'il ne peut en réunir sept, qu'on n'ait pas l'audace d'ordonner sans être au moins trois [3].

21. Pour les prêtres et diacres qui souvent quittent les lieux où ils ont été ordonnés pour aller se fixer ailleurs, il a été décidé qu'ils aient à exercer leur ministère dans leurs lieux à eux ; si, quittant le lieu qui est le leur, ils veulent aller se fixer ailleurs, qu'ils soient déposés [4].

22. Pour ceux qui apostasient et qui ne se présentent plus jamais à l'Église, qui ne demandent même pas à faire pénitence et qui, ensuite, saisis par la maladie, demandent la communion, il a été décidé de ne pas leur donner la communion, à moins qu'ils ne guérissent et ne fassent « de dignes fruits de pénitence [b] [5] ».

Souscriptions [6]

Ici commencent les noms des évêques et de leurs clercs, combien et de quelles provinces se sont rassemblés au

---

soulève l'application de ces principes en Gaule, cf. J. GAUDEMET, *L'Église dans l'Empire romain*, p. 338-339.

4. Cf. *supra*, c. 2.

5. Les « dignes fruits de pénitence » se réfèrent à la longue durée de l'état de pénitent par lequel l'apostat s'efforcera d'obtenir le pardon. Ce canon est inspiré du c. 46 du concile d'Elvire qui envisageait également le cas de l'apostat qui pendant longtemps désertait l'Église. Sans se prononcer sur l'hypothèse d'une demande de réintégration, le concile d'Elvire n'autorisait le retour à la communion qu'après une pénitence de 10 ans. Le c. 13 du concile de Nicée, sans viser spécialement le cas de l'apostat, autorise à donner la communion au pécheur repentant en danger de mort.

6. Sur ces souscriptions, données ici d'après *C*, et sur leurs variantes, voir *supra*, p. 39.

nerint sub Marino episcopo temporibus Constantini, ad derimanda scismata uel prauas hominum intentiones, Volosiano et Anniano consulibus.

Criscens episcopus, Florus diaconus ex ciuitate Sere-cosanorum prouincia Sicilia.

Proterius episcopus, Agreppa et Pinus diaconi de ciui-tate Capensium prouincia Campana.

Pandus episcopus, Criscens diaconus de ciuitate Alpien-sium prouincia Pulia.

Theodorus episcopus, Agustun diaconus de ciuitate Aquilegensium prouincia Dalmatia.

Claudianus et Thitus presbyteri, Eugenius et Quiriacus diaconi ex Vrbe Roma, missi ab Siluestro episcopo.

Meroclis episcopus, Seuerus diaconus de ciuitate Medio-lanensium prouincia Italia.

Oresius episcopus, Nazareus lector de ciuitate (M)asse-liensi prouincia Vienninse.

Marinus episcopus, Salamas presbyter, Nicasius, Afer, Vrsinus et Petrus diaconi de ciuitate Arelatensium prouin-cia Viennensi.

Verus episcopus, Beflas exurcista de ciuitate V(ienn)ensi prouincia suprascripta.

Dafenus episcopus, Victor exurcista de ciuitate Vasensi prouincia Vienninsi.

Faustinus presbyter de ciuitate Arausicorum prouincia qua supra.

1. Le ms. *C*, reproduit ici, porte *sub Marino*, ce qui pourrait faire conclure à la présidence de l'évêque d'Arles. Mais dans les autres mss on lit *apud Marinum*. — Marinus, nommé le premier dans l'adresse de l'*Epistula ad Siluestrum* (voir *supra*, p. 40), ne signe, ci-dessous, qu'après un autre évêque de la Viennoise, Oresius de Marseille.

2. *K* : *Chrispus, Florentius* ; *G* et *N* : *Cretus, Florentius* ; *Ly* : *Chrispus, Florus* ; *T*, *A* et *D* : *Christus, Florus*.

3. *K* : *Protinus, Agrepinus* (seulement) ; *G* et *N* : *Protinus, Cyprianus* (seulement) ; *Ly* : *Protinus, Agrippa, Tutus* ; *T* : *Pro-tenus, Agrippa, Pinus* ; *A* et *D* : *Protinus, Agrippa, Pinus*.

concile d'Arles, auprès de l'évêque Marinus [1], du temps de Constantin, pour faire cesser les schismes et les prétentions perverses des hommes, sous le consulat de Volosianus et d'Annianus.

Crescens, évêque, Florus, diacre [2], de la cité de Syracuse, province de Sicile.

Proterius, évêque, Agrippa et Pinus, diacres [3], de la cité de Capoue, province de Campanie.

Pardus [4], évêque, Crescens [5], diacre, de la cité de Salapia [6], province d'Apulie.

Theodorus, évêque, Agathon [7], diacre, de la cité d'Aquilée, province de Dalmatie.

Claudianus et Bitus [8], prêtres, Eugenius et Quiriacus, diacres, de la Ville de Rome, envoyés par l'évêque Silvestre [9].

Merocles, évêque, Severus, diacre, de la cité de Milan, province d'Italie.

Oresius, évêque, Nazareus, lecteur, de la cité de Marseille, province de Viennoise.

Marinus, évêque, Salamas, prêtre, Nicasius, Afer, Ursinus et Petrus, diacres de la cité d'Arles, province de Viennoise.

Verus, évêque, Beclas [10], exorciste, de la cité de Vienne, province ci-dessus.

Daphnus [11], évêque, Victor, exorciste, de la cité de Vaison, province de Viennoise.

Faustinus, prêtre, de la cité d'Orange, même province que ci-dessus.

---

4. Leçon des mss autres que *C*.
5. *K* : *Crescentius* ; *G, Ly, T* : *Crescens*.
6. Salapia, Lago di Salpi (Munier, p. 240), d'après les autres leçons : *Salpiensium*, etc.
7. Leçon des mss autres que *C*.
8. *K* : *Betus* ; *G* : *Verus* ; *Ly* : *Citus* ; *T, A, D* : *Bitus*.
9. Parmi toutes les *ciuitates*, seule Rome est l'*Vrbs*. Et de tous les évêques qui se sont fait représenter, seul Silvestre est nommé.
10. *K* : *Beclus* ; *T, A, D* : *Beclas* ; manque dans *G* (qui n'a pas la suite) et *Ly*.
11. *K* : *Dafinus* ; *Ly* : *Danas* ; *T* : *Damnas* ; manque dans *A* et *D*.

Innocentius diaconus, Agapitus exorcista Portu In-
cheinsis.

Romanus presbyter, Victor exorcista de ciuitate Apten-
sium.

Item de Galleis :

Inbetausius episcopus, Primigenius diaconus de ciuitate
Remorum.

Ausanius episcopus, Nicetius diaconus de ciuitate Roto-
magensium.

Riticius episcopus, Amandus presbyter, Felomasius
diaconus de ciuitate Agustudunensium.

Vosius episcopus, Petulinus exurcista de ciuitate Lug-
dunensium.

Maternus episcopus, Macrinus diaconus de ciuitate
Agripenensium.

Genialis diaconus de ciuitate Gabalum prouincia Aqui-
tanica.

Orientalis episcopus, Flauius diaconus de ciuitate
Burdegalensi.

Agrucius episcopus, Felix exurcista de ciuitate Triuerorum.

Mamertinus episcopus, Leontius diaconus de ciuitate
Elosasium.

Eborius episcopus de ciuitate Eboricensi prouincia
Britania.

Restitutus episcopus de ciuitate Londenensi prouincia
qua supra.

Adelfius episcopus de ciuitate Colonia Londenensium,
exinde Sacerdus presbyter, Arminius diaconus.

Liberius episcopus, Florentius diaconus de ciuitate
Emerita prouincia Spania.

1. *C* est seul à donner : *Agapitus.*
2. Partout ailleurs : *Ex prouincia Gallia.*
3. *Ly* : *Imptabiusius.*
4. *K* : *Ibidianus* ; *Ly* : *Auidianus* ; *T* : *Auidanus* ; *A, D* : *Aui-*
tanus. Il s'agit d'Avitianus (Duchesne, *Fastes*, II, p. 204 et 206).

Innocentius, diacre, Agapius [1], exorciste, du port de Nice.

Romanus, prêtre, Victor, exorciste, de la cité d'Apt.

De même, des Gaules [2] :

Imbetausius [3], évêque, Primigenius, diacre, de la cité de Reims.

Avitianus [4], évêque, Nicetius, diacre, de la cité de Rouen.

Reticius, évêque, Amandinus [5], prêtre, Felomasius [6], diacre, de la cité d'Autun.

Vocius [7], évêque, Petulinus, exorciste, de la cité de Lyon.

Maternus, évêque, Macrinus, diacre, de la cité de Cologne.

Genialis, diacre, de la cité des Gabales [8], province d'Aquitaine.

Orientalis, évêque, Flavius [9], diacre, de la cité de Bordeaux.

Agricius [10], évêque, Félix, exorciste, de la cité de Trèves.

Mamertinus, évêque, Leontius, diacre, de la cité d'Eauze.

Eborius, évêque, de la cité d'York, province de Bretagne.

Restitutus, évêque, de la cité de Londres, même province que ci-dessus.

Adelfius, évêque, de la cité de Lincoln [11]; de là aussi Sacerdos, prêtre, Arminius, diacre.

Liberius, évêque, Frontinus [12], diacre, de la cité de Mérida, province d'Espagne.

5. *C* est le seul à donner : *Amandus*.
6. *Ly* : *Flomatius* ; *T* : *Flematius* ; *A*, *D* : *Filomatius* ; manque dans *K*.
7. *K* : *Voceius* ; *Ly* : *Vocitus* ; *T*, *A* : *Voccius* ; *D* : *Votius*.
8. Région de l'actuel Gévaudan.
9. *K* : *Faustus*.
10. *Ly* : *Agricius* ; *K* : *Agraecius* ; *T*, *D* : *Agroicius* ; *A* : *Agrecius*. Cf. J. MARX, « Der Biograph des Bishofs Agricius von Trier », *Westdeutsche Zeitschrift für Geschichte und Kunst* 12 (1893), p. 37-50.
11. *Ciuitas Colonia Londenensium* s'identifie très probablement avec *Lindum Colonia*, Lincoln.
12. *Ly* : *Frominianus* ; *T* : *Frondinus* ; *A*, *D* : *Frontinus*.

Sabinus presbyter de ciuitate Betica.

Natalis presbyter, Citerius diaconus de ciuitate Vrso-lensium.

Probatius presbyter, Castorius diaconus de ciuitate Tarracone.

Clementius presbyter, Rufinus exurcista de ciuitate Caesaraug(ust)a.

Getnesius presbyter, Victor lictor de ciuitate Bastigen-sium.

Fortunatus espiscopus, Deuterius diaconus de ciuitate Caesariensi prouincia Mauritania.

Quintasius episcopus, Admonius presbyter de ciuitate Caralis prouincia Sardenia.

Item prouincia Afreca :

Caecilianus episcopus de ciuitate Cartagensi, cum ipso Sperantius diaconus.

Lampadius de ciuitate Vtina.

Victor episcopus de ciuitate Vtica.

Anastasius episcopus de ciuitate Beneuenteni.

Faustus episcopus de ciuitate Tuborbetana.

Surgensius de ciuitate Pocofeltus.

Victor episcopus de ciuitate Legisuolumeni prouincia Numidia.

Vitalis episcopus de ciuitate Verensium.

Gregorius episcopus quo loco qui est in Portu Romae.

Acpitetus episcopus a Centocellis.

(...) Leontius et Mercurius presbyteri.

---

1. *Ciuitas Vrsolensium* : Munier, p. 242, identifie cette cité avec Osuna (*Vrso*). Mais *Vrso* fut-elle jamais une ville épiscopale ?
2. *K, Ly, T, A* : *Termatius* (ou *Termasius*), forme qui se retrouve dans l'adresse de l'*Epistula ad Siluestrum* ; *D* : *Cermasius.*
3. D'après les autres mss.
4. Cf. Munier, p. 233.
5. Thuburbo maius ? Thuburbo minus ? Cf. Munier, p. 241.

Sabinus, prêtre, de la cité de Bétique.

Natalis, prêtre, Citerius, diacre, de la cité d'Osuna [1].

Probatius, prêtre, Castorius, diacre, de la cité de Tarragone.

Clementius, prêtre, Rufinus, exorciste, de la cité de Saragosse.

Termatius [2], prêtre, Victor, lecteur, de la cité d'Eçija.

Fortunatus, évêque, Deuterius, diacre, de la cité de Césarée, province de Maurétanie.

Quintasius, évêque, Ammonius, prêtre, de la cité de Cagliari, province de Sardaigne.

De même, de la province d'Afrique :

Caecilianus, évêque, de la cité de Carthage ; avec lui, Sperantius, diacre.

Lampadius, évêque [3], de la cité d'Uthina.

Victor, évêque, de la cité d'Utique.

Anastasius, évêque, de la cité de Beniata (?) [4].

Faustus, évêque, de la cité de Thuburbo [5].

Surgentius, évêque [3], de la cité de Pocofelta [6].

Victor, évêque, de la cité de Legis Volumni [7], province de Numidie.

Vitalis, évêque, de la cité de Veri (?) [8].

Gregorius, évêque, là où est le Port de Rome [9].

Epictetus [10], évêque de Centumcellae [11].

Leontius et Mercurius, prêtres, d'Ostie [12].

6. « locus ignotus » (MUNIER, p. 239).

7. Ville de Numidie non identifiée.

8. *Ciuitas Verensium* : peut-être Veri, siège épiscopal de la région des Troglodytes (Tunisie du Sud) qui serait à identifier avec Duirat (K. MILLER, *Itineraria romana*, Stuttgart 1916, p. 922).

9. Les mss autres que *C* donnent, plus exactement : *ex Portu ab Vrbe XV*, c'est-à-dire : « de Porto, à quinze milles de la Ville ».

10. *K*, *T* : *Epictatus* ; *Ly* : *Epistitus*.

11. Sur la voie Lavicane ; cf. MUNIER, p. 234.

12. Les mss autres que *C* donnent : *ab Ostiis* ; *K* seul fait de Leontius un évêque.

Canons apocryphes
attribués au concile d'Arles de 314

Les six canons ci-dessous ont été ajoutés à la série
arlésienne dans les manuscrits de la collection de Novare [1]
ainsi que dans deux manuscrits de la *Dionysio-Hadriana*
(B. N., *lat. 12448* et *Bodl. 893*) [2]. Ils ont été édités par
Mansi (II, c. 469), Turner (p. 416), Munier (p. 25) dont
nous reproduisons le texte.

Le premier reprend la disposition du canon 11 d'Arles [3] ;
les cinq autres, cinq canons de la lettre de Sirice aux
évêques d'Afrique, communiquant les dispositions du
concile de Rome de 386 [4].

24. Placuit ut, quantum potest, inhibeatur uiro ne
dimissa uxore uiuente liceat ut aliam ducat super eam.
Quicumque autem hoc fecerit, alienus erit a catholica
communione.

25. Placuit ut mulierem corruptam clericus non ducat
uxorem, uel is qui laicus mulierem corruptam duxerit,
non admittatur ad clerum.

26. De aliena ecclesia clericum ordinare alibi nullus
episcopus usurpet. Quod si fecerit, sciat se esse iudicandum, cum inter fratres de hoc fuerit petitus.

27. Absentem clericum alterius ecclesiae alia non admittat, sed pacem in ecclesia inter fratres simplicem tenere
cognoscat.

1. Cf. MAASSEN, p. 717.
2. *Ibid.*, p. 189.
3. Ci-dessus, p. 50.
4. Cf. MANSI, III, c. 669-671.

24. Il a été décidé que, autant que faire se peut, il soit interdit à un homme, après renvoi de sa femme, encore vivante, de pouvoir en épouser une autre en plus de celle-là. Quiconque le ferait serait mis à l'écart de la communion catholique [1].

25. Il a été décidé qu'un clerc ne devrait pas épouser une femme non vierge, et que celui qui, étant laïc, a épousé une femme non vierge ne serait pas admis dans le clergé [2].

26. Qu'aucun évêque ne s'arroge le droit d'ordonner clerc quelqu'un d'une autre église. S'il le fait, qu'il sache qu'il sera jugé le jour où, entre frères, une plainte sera portée à ce sujet contre lui [3].

27. Qu'aucune église n'accueille un clerc qui a quitté sa propre église, mais qu'elle apprenne à conserver une paix sans arrière-pensée entre frères dans l'Église [4].

1. Il s'agit ici non seulement du refus de la communion au bigame, mais de l'exclusion de la communauté chrétienne ; sur cette mesure, cf. *supra*, p. 48, n. 2. Le c. 24 édicte donc une sanction très sévère, qui ne figurait pas au c. 11.

2. Voir la lettre du pape Sirice aux Africains dans les actes du concile de Thelepte de 418, c. 4-5 (MUNIER, *Conc. Afr.*, p. 61), qui disait *uiduam uxorem* là où le c. 25 d'Arles dit *corruptam* ; voir aussi p. 104 et n. 2 à propos du c. 1 du concile de Valence.

3. Cf. Sirice, *loc. cit.*, c. 6 ; sur ces abus, cf. *supra*, c. 17 (p. 55, n. 6).

4. Cf. Sirice, *loc. cit.*, c. 7. Ces canons 26 et 27 confirment la discipline prescrivant aux clercs de demeurer dans l'église à laquelle ils ont été attachés par leur ordination (cf. *supra*, c. 2 et 21).

Conciles gaulois.   5

28. Venientes de Donastistis uel de Montensibus per manus impositionem suscipiantur, ex eo quod contra ecclesiasticum ordinem baptizare uidentur.

29. Praeterea, quod dignum, pudicum et honestum, suademus fratribus ut sacerdotes et leuitae cum uxoribus suis non coeant, quia ministerio quotidiano occupantur. Quicumque contra hanc constitutionem fecerit, a clericatus honore deponatur.

1. *Montenses* désigne les donatistes (cf. *C. Th.* 16, 5, 43 ; *Donatistas qui et Montenses uocantur*) : ce surnom de « montagnards » les présentait comme des gens sans culture (BLAISE, p. 539).

2. Cf. Sirice, *loc. cit.*, c. 8 ; et concile d'Arles, c. 9 (*supra*, p. 50 et n. 3-5).

3. Cf. Sirice, *loc. cit.*, c. 9. Cette prescription imposant la continence aux prêtres et diacres mariés figurait déjà dans le concile d'Elvire (c. 33). Ce sont les plus anciens textes législatifs formulant le principe du célibat ecclésiastique. Sur les débats à ce propos lors du concile de Nicée et la discipline orientale (concile d'Ancyre, c. 10 ; concile de Néocésarée, c. 1 ; concile de Gangres, c. 4 ; *Canons*

28. Que ceux qui viennent des donatistes ou des *Montenses* [1] soient reçus par l'imposition des mains, parce qu'ils baptisent contrairement aux prescriptions ecclésiastiques [2].

29. En outre, nous recommandons à nos frères, comme une chose digne, pudique et honnête, que les prêtres et les diacres n'aient pas de relations avec leur épouse, car ils vaquent chaque jour à leur ministère. Que quiconque violera cette constitution soit déposé de sa dignité de clerc [3].

---

apostoliques, c. 5 [6] ; *Constitutions apostoliques* VI, 17 ; concile *in Trullo* de 691, c. 13), cf. HEFELE-LECLERCQ, I[1], p. 620-624 et, sur le problème en général, J. GAUDEMET, *L'Église dans l'Empire romain*, p. 156-163 ; plus récemment, R. GRYSON, *Les origines du célibat ecclésiastique du premier au septième siècle*, Louvain 1970 (sur les décrétales de Sirice, p. 136-142 et 190) ; H. CROUZEL, « Le célibat et la continence dans l'Église primitive : leurs motivations », dans *Sacerdoce et Célibat. Études historiques et théologiques*, publiées par J. COPPENS, Louvain 1971, p. 333-371.

CONCILE DE COLOGNE
(12 mai 346)

Le « concile de Cologne » aurait réuni quatorze évêques
de Gaule et de Germanie et les représentants de dix autres
pour juger l'évêque de cette ville, Eufratas, accusé de
nier la divinité du Christ et déjà condamné par une
assemblée de cinq évêques. Il ne semble pas, malgré
diverses tentatives faites pour sauver son authenticité,
pouvoir être tenu pour historique.

Les actes de ce concile sont transmis par un manuscrit
du xe siècle, mais ils étaient connus dès le viiie (*Vita
S. Maximini Treverensis ep.*, *BHL* 5822). Le caractère
apocryphe du document a été tout spécialement démontré par L. Duchesne, « Le faux concile de Cologne de
346 », *Rev. d'Hist. Eccl.* 3 (1902), p. 16-29 (cf. *Fastes*, I,
p. 361-365), que suivent J.-R. Palanque, *De la paix constantinienne...*, p. 221, n. 4, É. Griffe, I, p. 180 et 210,
et C. Munier, p. 26. En sens contraire, H. Leclercq,
dans Hefele-Leclercq, I[2], p. 830-834 en note. De même
H. G. Opitz, *Athanasius Werke*, II, Berlin-Leipzig 1934,
p. 127. — Cf. *Clavis Patrum lat.* (*Sacris Erudiri*, III),
n° 1786.

L'intérêt principal de ce texte, d'ailleurs curieux par
son style varié et son vocabulaire, réside dans les noms
des évêques nommés. Leur liste correspond en effet en
grande partie à la liste des trente-quatre évêques gaulois
qui, à la demande de saint Athanase, confirmèrent — en
346 précisément — les décisions du concile de Sardique
de 343. Athanase lui-même nous a conservé ces noms,
mais sans y joindre ceux des sièges correspondants (*Apologia secunda contra Arianos*, 49, 1 : *PG* 25, c. 337 B ;
Opitz, *loc. cit.*).

La parenté évidente entre les deux listes s'explique, selon L. Duchesne, par l'utilisation d'une même source conservée à Trèves : Athanase en a retenu les noms des évêques sans indiquer leur siège; le rédacteur des actes du concile, qui n'a retenu que vingt-quatre noms, a conservé en revanche les noms de cités qui les accompagnaient. On trouvera chez Duchesne et chez Opitz (*loc. cit.*) le parallèle entre les noms attestés de part et d'autre.

TRANSMISSION : Le *Concilium Agrippinense* figure aux fol. 217v-218 du *codex Bruxellensis* 495-505, du xe siècle (*Catalogue des Mss de la Bibl. Royale*, IV, no 2494). Il s'agit d'un exemplaire de la *Dionysio-Hadriana* comportant divers compléments. Il a appartenu à l'abbaye d'Orval et à la bibliothèque des Bollandistes. — De ce manuscrit dérive le texte donné par Gilles d'Orval dans les *Gesta episcopi Leodiensium* (*MGH, SS,* p. 21-22). — Voir aussi la *Vita S. Servatii,* du xie siècle (*BHL* 7618), où sont reproduits les noms des évêques.

ÉDITIONS : MANSI, II, c. 1371.
MUNIER, p. 26-30.

70

CONCILIVM COLONIAE AGRIPPINAE
346. Mai. 12.

Post consulatum Amanti et Albani, iiii Idus Maias, cum consedissent episcopi in Agripinensium ciuitate, idest Maximinus a Treueris, Valentinus ab Arelato, Domitianus Cabellonorum, Seuerinus Senonum, Optatianus Tricassium, Iessis Nimitum, Victor Vangionum, Valerianus Aetisidorensium, Simplitius Augustodonensium, Amandus Argentoratensium, Iustianus Rauracorum, Eologius Ambianorum, Seruatius Tungrorum, Discolius Remorum, consentientibus et mandantibus Martino episcopo Mogontiacensium, Victore Mediomatricorum, Desiderio Lingonie, Panchario Visoncensium, Sanctino Articlauorum, Victurino Pariseorum, Superiore Neruiorum, Mercurino Suessionum, Diclopeto Aurilianorum, et Eusebio Rotomagentium. Cumque recitata fuisset epistola plebis Agripinensium sed et omnium castrorum Germaniae secundae de nomine Eufrata, qui Christum Deum negat,

1. Maximinus episcopus dixit : « Quia Dei uoluntas Patris <et Domini> nostri Iesu Christi uoluit nos iuxta postulatum fratrum ad hoc Agripinense oppidum conuenire, propter perditum et blasphemum Eufratam, quem omnis mundus iam ore Domini cognouit esse dampnatum, qui in Spiritum sanctum eatenus blasphemauit, quod Christum <Deum> negat, hanc mediocritas mea sententiam, fert, sicut Dei et Domini nostri Saluatoris ore

1. Une note marginale, sensiblement contemporaine, précise : « L'an de l'incarnation du Seigneur 346, la 4ᵉ année de la 280ᵉ olympiade, la 6ᵉ de l'empire de Constance, fils de Constantin, la 4ᵉ indiction, eut lieu la dégradation d'Eufratas, évêque de Cologne, avec l'assentiment et la confirmation écrite du pape Jules et de tous les évêques d'Italie, de Gaule et de Germanie. »

CONCILE DE COLOGNE
12 mai 346

Après le consulat d'Amantius et d'Albanus, le 4 des
ides de mai [1], lorsque des évêques se furent réunis en la
cité de Cologne — à savoir Maximinus de Trèves, Valen-
tinus d'Arles, Donatianus [2] de Chalon, Severinus de Sens,
Optatianus de Troyes, Iessis de Spire, Victor de Worms,
Valerianus d'Auxerre, Simplicius d'Autun, Amandus de
Strasbourg, Justinianus [3] de Bâle, Eulogius d'Amiens,
Servatius de Tongres, Discolius de Reims, avec l'assentiment et le mandat de Martinus, évêque de Mayence,
Victor de Metz, Desiderius de Langres, Pancharius de
Besançon, Sanctinus de Verdun, Victurinus de Paris,
Superior des Nerviens, Mercurinus de Soissons, Diclopetus
d'Orléans et Eusebius de Rouen — et lorsque eut été lue
une lettre du peuple de Cologne et aussi de toutes les
villes [4] de Germanie Seconde au sujet du nommé Eufratas
qui nie que le Christ soit Dieu :

1. L'évêque Maximinus dit : « Puisque la volonté de
Dieu le Père et de notre Seigneur Jésus Christ a voulu
que nous nous réunissions dans cette ville de Cologne, à
la demande de nos frères, à propos d'Eufratas, homme
perdu et blasphémateur, que le monde entier sait être
déjà condamné par la bouche du Seigneur, lui qui blasphème contre l'Esprit-Saint au point de nier que le
Christ soit Dieu, ma modeste personne porte la sentence
même qui a été prononcée par la bouche de notre Dieu

2. Le ms. donne ici *Domitianus*, mais plus bas *Donatianus*. C'est
cette seconde forme qui est confirmée par ATHANASE (éd. Opitz,
loc. cit., n⁰ 33) : Δωνατιανός.
3. Le ms. donne ici *Iustianus*, mais plus bas *Iustinianus*. C'est
cette seconde forme qui est confirmée par ATHANASE (*ibid.*, n⁰ 29) :
Ἰουστινιανός.
4. *Castra* (cf. ci-dessous, § 11) ; les paroisses existant hors de la
ciuitas épiscopale ne sont pas localisées ici dans des *uici*, mais dans
des *castra*.

prolata est dicentis : ' Omnia peccata et blasphemiae remittentur hominibus ; qui autem blasphemauerit in Spiritum sanctum, non remittetur ei neque hic, neque in futuro, sed reus erit aeterni iuditii [a]. ' Ideo episcopum eum manifestum est esse non posse. »

2. Valentinus episcopus dixit : « Quia Eufrata Christum Deum negat, consentio eum episcopum esse non posse ; qui nec laicam debet communionem accipere. »

3. Donatianus episcopus dixit : « In pace negauit Christum Deum et ideo constat Eufratam non esse catholicum. »

4. Seuerinus episcopus dixit : « Cum constet Eufratam subscriptione fratrum plurimorum in Spiritum sanctum blasphemasse negando Deum Christum, et ego consentio eundem iuxta Euangelica praecepta iure ab episcopatu esse deiectum. »

5. Optatianus episcopus dixit : « Et ego censeo Eufratam in episcopatu permanere non posse, qui in Spiritum sanctum blasphemauit negando Christum Deum esse. »

6. Iessis episcopus dixit : « Non solum epistolis omnium ecclesiarum, quae audierunt Eufratam negare Deum Christum, sed quod ego ipse auribus meis audiui sub praesentia Martini consenioris nostri et Metropi presbyteri et Victoris diaconi, ideo consensi illum iure esse depositum. »

7. Victor episcopus dixit : « Quoniam palam factum est et probatum Eufratam inmemorem sacramenti caelestis

a. Cf. Mc 3, 28-29 ; Matth. 12, 32

---

1. Citation libre (cf. apparat scripturaire) ; en *Mc* 3, 29, on trouve *aeterni iudicii* au lieu de *aeterni delicti* dans de très anciens témoins.
2. C'est-à-dire prendre place parmi les fidèles. Eufratas doit être exclu de la communauté chrétienne,
3. *In pace* : on pourrait comprendre : « en pleine paix », par contraste avec le temps des persécutions.

et Seigneur, le Sauveur, lorsqu'il a dit : ' Tous les péchés et les blasphèmes seront remis aux hommes ; mais celui qui blasphème contre l'Esprit-Saint, il ne lui sera pardonné ni maintenant ni plus tard ; il sera sous le coup du jugement éternel [a] [1]. ' Par conséquent, il est évident qu'il ne peut être évêque. »

2. L'évêque Valentinus dit : « Puisque Eufratas nie que le Christ soit Dieu, je suis aussi d'avis qu'il ne peut être évêque ; qu'il ne doit même pas recevoir la communion laïque [2]. »

3. L'évêque Donatianus dit : « Il a tranquillement [3] nié que le Christ soit Dieu, et par conséquent il est établi qu'Eufratas n'est pas catholique. »

4. L'évêque Severinus dit : « Puisqu'il est établi par la souscription de très nombreux frères qu'Eufratas a blasphémé contre l'Esprit-Saint en niant que le Christ soit Dieu, je suis moi aussi d'avis que, selon les préceptes de l'Évangile, il est juste qu'il soit rejeté de l'épiscopat. »

5. L'évêque Optatianus dit : « Moi aussi, j'estime qu'Eufratas ne peut demeurer dans l'épiscopat, lui qui a blasphémé contre l'Esprit-Saint, en niant que le Christ soit Dieu. »

6. L'évêque Iessis dit : « Ce n'est pas seulement à cause des lettres de toutes les églises qui ont entendu Eufratas nier que le Christ soit Dieu, mais parce que je l'ai moi-même entendu de mes oreilles en la présence de Martinus, notre collègue dans l'épiscopat [4], du prêtre Metropius et du diacre Victor, que j'ai été moi aussi d'avis qu'il était juste qu'il soit déposé. »

7. L'évêque Victor dit : « Puisqu'il a été démontré et prouvé qu'Eufratas, oublieux de l'enseignement céleste [5],

---

4. *Consenior* : le mot employé ici et au § 8 (début) est emprunté à *I Pierre* 5, 1 : *Seniores... obsecro consenior... pascite qui est in vobis gregem Dei...* Il équivaut ici à *consacerdos* (§ 8 fin).

5. *Immemor sacramenti caelestis* : *sacramentum* doit désigner ici le mystère révélé dans l'enseignement de la foi.

blasphemasse in Spiritum sanctum, negando Christum
Deum Dei filium, et multis criminibus coarguitur, quod
episcopum ullo modo non decet, consentio illum esse
depositum. »

8. Valerianus episcopus dixit : « Etsi non omnes conse-
niores hic apud Agripinam Dei uoluntate qui sumus adunati conuenissemus, suffecerat a quinque episcopis qui
Eufratam blasphemum, quia Christum Deum negat, pro
meritis suis sententiarent eodem iure esse depositum.
Nunc autem in praesenti maiora cognouimus : multorum
etiam carorum laicorum subscriptione manifestatum est,
quia primordialem Dominum et Deum nostrum negat,
cum per uniuersos prophetas manifestetur illum ante
mundi constitutionem fuisse cum Deo Patre omnipo-
tente, et quia omnes cecinerunt illum uenturum et pati
pro totius mundi salute, sicut ipse compleuit. Quapropter
Eufratas falsus doctor, qui tantum nudum hominem
asserit Christum, recte omnium consacerdotum uoce
dampnatus est. Ideo consentio, ut si quis epistolas ipsius
per catholicam ecclesiam adtulerit, communione priue-
tur, eundemque censeo iuste esse depositum. »

9. Simplicius episcopus dixit : « Esse episcopum non
posse Eufratam consentio, quia Christum Deum negat. »

10. Amandus episcopus dixit : « Siquidem in praesenti,
quando Eufrata a quinque episcopis sententiam accepit,
me inter ipsos fateor esse consentaneum, qui epistolis
meis ad eundem deponendum consensi. Secundum falsam
doctrinam ipsius, qui Christum Dominum Deum negat,
merito in ipsum sententiam collatam esse constat, ad
cuius dampnationem consentio. »

1. *Sententiare*, mot juridique rare.
2. *Nudus homo* : cf. PÉLAGE, *Libellus fidei*, 4 (*PL* 45, c. 1717),
qui prête cette opinion à Photin.
3. C'est-à-dire que ceux qui se recommandaient d'Eufratas ne

a blasphémé contre l'Esprit-Saint en niant que le Christ soit Dieu, Fils de Dieu, et qu'il est reconnu coupable de nombreuses fautes, ce qui ne convient aucunement à un évêque, je me rallie à sa déposition. »

8. L'évêque Valerianus dit : « Même si nous tous, collègues dans l'épiscopat, qui sommes rassemblés ici à Cologne par la volonté de Dieu, ne nous étions pas réunis, il aurait suffi que cinq évêques aient condamné [1] comme il le mérite Eufratas le blasphémateur, puisqu'il nie que le Christ soit Dieu, pour qu'il ait été déposé tout aussi juridiquement. Or maintenant, sur place, nous apprenons des choses plus graves : en effet il est établi par la souscription de nombreux laïcs très chers, qu'il nie qu'ait existé dès le commencement notre Seigneur et Dieu, alors qu'il est manifesté par l'ensemble des prophètes qu'Il fut avant la création du monde avec Dieu le Père tout-puissant et que tous ont prédit qu'Il viendrait pour le salut du monde entier, ainsi qu'il l'a accompli. C'est pourquoi Eufratas, faux docteur, qui déclare que le Christ n'est qu'un simple homme [2], a été justement condamné par la voix de tous nos collègues dans l'épiscopat. Ainsi donc, je suis d'avis, moi aussi, que si quelqu'un produit dans l'Église catholique des lettres émanant de lui, il soit privé de la communion [3], et j'estime qu'il a été déposé à bon droit. »

9. L'évêque Simplicius dit : « Je suis moi aussi d'avis qu'Eufratas ne peut être évêque, puisqu'il nie que le Christ soit Dieu. »

10. L'évêque Amandus dit : « Présent maintenant, je déclare que, lorsque Eufratas a été jugé par cinq évêques, j'étais d'accord avec eux, moi qui, par lettre, ai donné mon assentiment à sa déposition. Étant donné la fausse doctrine de cet homme, qui nie que le Christ notre Seigneur soit Dieu, il est clair que la sentence a été portée contre lui à bon droit, et je donne mon assentiment à sa condamnation. »

seraient pas reçu dans une communauté chrétienne ; sur la pratique de ces lettres, cf. *supra*, p. 49, n. 7.

11. Iustinianus episcopus dixit : « Ex epistula clerico-
rum Agripinensium, necnon et fratrum per singula castra
constitutorum, quorum epistolae et subscriptiones tenen-
tur, cognouimus Eufratam esse blasphemum, qui Christum saluatorem Dominum nostrum Deum esse negat.
Quapropter et ego consentio illum ab ecclesia catholica
esse dampnatum. »

12. Eulogius episcopus dixit : « Diabolus qui ab initio
fuit [b], qui periit primus et ceteros perdidit, ipse hodie in
Eufrata persistit. Nam et idem multos secum trahendo
decepit, qui tamen meminisse debuerat Apostolum prae-
dicasse, qui ait : ' Etsi angelus descenderit de caelo et
uobis aliter praedicauerit quam uobis est praedicatum,
anathema sit [c]. ' Quare Eufrata falsus doctor legisque
subuersor merito omnium episcoporum sententia dampnatus est, qui benedictum Dominum et saluatorem nostrum, auctorem lucis et uitae Iesum Christum Deum
negare ausus est. Et ideo pusillitatis meae consensu, ut
meretur, dampnatione percussus est. »

13. Seruatius episcopus dixit : « Quid fecerit, quidue
docuerit Eufrata pseudoepiscopus, non opinione, sed
ueritate cognoui pro finitimi loci coniuncta ciuitate,
cuique publice et domestice obstiti saepe, cum ille Christum Deum negaret, audiente etiam Athanasio episcopo
Alexandriae et presbyteris et diaconibus plurimis. Et
idcirco censeo christianis episcopum eum esse non posse,
quia Deum Christum sacrilega uoce negauit, neque illum
christianum esse iudicandum, qui eiusdem confinitimus
fuerit inuentus. »

b. Cf. I Jn 3, 8 ‖ c. Gal. 1, 8

---

1. On attendrait plus justement (avec *I Jn* 3, 8) : *qui ab initio
peccat*, ou *fuit peccator*.
2. *Pro finitimi loci coniuncta ciuitate* : de toutes les cités épiscopales, Tongres est la plus proche de Cologne, sa métropole, dont
elle s'était détachée peu auparavant.

11. L'évêque Justinianus dit : « Par la lettre des clercs de Cologne, comme aussi des frères résidant dans les différentes villes, lettres et souscriptions que nous avons entre les mains, nous savons qu'Eufratas est un blasphémateur, lui qui nie que le Christ Sauveur, notre Seigneur, soit Dieu. C'est pourquoi moi aussi je donne mon assentiment au fait qu'il a été condamné et exclu de l'Église catholique. »

12. L'évêque Eulogius dit : « Le diable, qui a été dès le commencement [b] [1], qui s'est perdu le premier et a perdu les autres, est encore présent aujourd'hui en la personne d'Eufratas. Car celui-ci aussi a séduit beaucoup d'hommes en les entraînant à sa suite, alors qu'il aurait dû se souvenir de la prédication de l'Apôtre qui dit : ' Même si un ange descendait du ciel et vous prêchait autre chose que ce qui vous a été prêché, qu'il soit anathème [c]. ' C'est pourquoi Eufratas, faux docteur et destructeur de la loi, a été condamné à bon droit par la sentence de tous les évêques, lui qui a osé nié que notre béni Seigneur et Sauveur, auteur de la lumière et de la vie, Jésus Christ, soit Dieu. Aussi c'est avec l'assentiment de ma modeste personne qu'il a été, comme il le mérite, frappé de condamnation. »

13. L'évêque Servatius dit : « Ce qu'a fait, ce qu'a enseigné le pseudo-évêque Eufratas, ce n'est pas par ouï-dire, mais en vérité que je l'ai su, étant donné les relations de voisinage avec ma cité [2] ; je me suis souvent opposé à lui en public et en privé, alors qu'il niait que le Christ fût Dieu, comme l'entendirent aussi l'évêque Athanase d'Alexandrie et de très nombreux prêtres et diacres [3]. Voilà pourquoi je suis d'avis qu'il ne peut être évêque pour des chrétiens, puisqu'il a nié d'une voix sacrilège que le Christ soit Dieu, d'avis aussi que l'on ne doit pas tenir pour chrétien quelqu'un qu'on reconnaîtrait tout proche [4] de lui. »

3. Athanase, qui avait séjourné à Trèves en 335-337, y passa de nouveau en 343. Il y revint au printemps de 346.

4. *Confinitimus* : mot très rare (*v. g.* II[e] concile de Saragosse en 691, c. 2).

14. Discolius episcopus dixit : « Qui Christum Deum negat in ecclesia non potest permanere, dicente Domino Deo nostro Iesu Christo : ' Qui me negauerit coram hominibus, et ego negabo eum coram Patre meo qui est in caelis [d]. ' Et ideo Eufratam inter ceteros fratres meos arbitror et rectissime censeo esse episcopum non permitti. »

Item sententia epistola Diclapeti episcopi Aurelianorum, sed tamen sermonibus istis inter omnium uoces : « Eufratas damnationi tradatur atque puniatur, qui Christum negat esse Filium Dei, cuius falsa machinatio multis innocentibus attulit prauitatem. Sed necesse est ut ipse ueterator, qui tantum molitus est scelus, caelesti plaga feriatur. »

d. Matth. 10, 33.

14. L'évêque Discolius dit : « Celui qui nie que le Christ
soit Dieu ne peut demeurer dans l'Église, puisque notre
Seigneur Dieu, Jésus Christ, a dit : ' Celui qui me reniera
devant les hommes, moi aussi je le renierai devant mon
Père qui est dans les cieux [d]. ' C'est pourquoi j'estime
avec tous mes frères et je suis d'avis, en toute justice
qu'il n'est pas permis qu'Eufratas soit évêque. »

Même sentence, par lettre, de Diclopetus [1], évêque
d'Orléans, mais en ces termes, qui tranchent sur les
paroles de tous : « Qu'Eufratas soit soumis à condamnation et puni, lui qui nie que le Christ soit Fils de Dieu,
lui dont les artifices fallacieux ont perverti beaucoup
d'innocents. Mieux encore, il faut que ce vieux renard,
qui a perpétré un tel crime, soit frappé d'un coup du
ciel. »

---

1. Ms. : *Diclapetus.* La forme de la liste initiale, *Diclopetus,* est
confirmée par ATHANASE (éd. Opitz, *loc. cit.,* n⁰ 11) : Δηχλοπετός.

CONCILE D'ARLES
(353)

Le concile souhaité par le pape Libère, mais réuni à Arles par la volonté de l'empereur Constance, fut dominé par les ariens [1]. Il prononça, malgré la résistance des légats du pape et des évêques orthodoxes, la condamnation d'Athanase préparée par les évêques ariens Valens de Mursa et Ursace de Singidunum. L'empereur contraignit les évêques orthodoxes à souscrire à la condamnation d'Athanase en les menaçant d'exil. Seul l'évêque de Trèves, Paulin, resta inébranlable ; il fut exilé en Phrygie. Cependant l'opposition des nicéens obligea l'empereur à faire reprendre le débat dogmatique dans une plus vaste assemblée. Ce fut le concile de Milan de 355.

TRANSMISSION : Les actes du concile n'ont pas été conservés. Mais plusieurs historiens ecclésiastiques ont parlé de cette assemblée ; cf. en particulier (outre les textes de Sulpice Sévère et d'Hilaire, ci-dessous) : HILAIRE, *Collectanea antiariana parisina*, A, VII ; VII, 6 ; Appendix, II, 3 (*CSEL* 65, p. 89-93 ; 167 ; 186-187) ; ATHANASE, *Apologia ad Constantium imperatorem*, 27 (*PG* 25, c. 629 ; *SC* 56, p. 118-119) ; *Historia Arianorum ad monachos*, 31 (*PG* 25, c. 728 ; Opitz, II, p. 199-200).

1. Sur le concile d'Arles, cf. BARONIUS, *Annales*, ad ann. 353, n. 16-22 ; HEFELE-LECLERCQ, I², p. 869-870 ; GRIFFE, I, p. 215-216 ; DOIGNON, p. 440-444. C'est pendant son séjour à Arles que Constance célèbre ses *trecennalia*, le 10 octobre 353 (cf. STEIN-PALANQUE, p. 495, n. 121).

CONCILIVM ARELATENSE
353

Igitur cum sententiam eorum (Arrianorum), quam de Athanasio dederant, nostri non reciperent, edictum ab imperatore proponitur, ut qui in damnationem Athanasii non subscriberent in exilium pellerentur. Ceterum a nostris tum apud Arelatem ac Biterras, oppida Galliarum, episcoporum concilia fuere. Petebatur ut priusquam in Athanasium subscribere cogerentur, de fide potius disceptarent, ac tum demum de re cognoscendum, cum de persona iudicum constitisset. Sed Valens sociique eius prius Athanasii damnationem extorquere cupiebant, de fide certare non ausi. Ab hoc partium conflictu agitur in exilium Paulinus.

(Sulpicii Seueri *Chronicorum lib.* II, 39, *CSEL* 1, 92.)

Incipiam igitur ab his, quae proxime gesta sunt, id est ex eo tempore quo primum in Arelatensi oppido frater et comminister meus Paulinus, ecclesiae Triuerorum episcopus, eorum se perditioni simulationique non miscuit, et qualis fuit illa sententia exponam, a qua referens uoluntatem indignus ecclesiae ab episcopis, dignus exilio a rege est iudicatus...

(Hilarii *Collectanea antiariana parisina*, B, I, 6, *CSEL* 65, 102.)

CONCILE D'ARLES
353

Sulpice Sévère (*Chronicorum lib.* II, 39, *CSEL* 1, p. 92) rapporte les événements dans les termes suivants :

Les nôtres n'ayant pu accepter la sentence portée par les ariens contre Athanase, l'empereur promulgua un édit frappant d'exil ceux qui ne souscriraient pas à la condamnation d'Athanase. Alors se tinrent à Arles et à Béziers, villes des Gaules, des conciles d'évêques de notre parti. On y demanda qu'avant d'être contraint à souscrire à la condamnation d'Athanase, on commençât plutôt par discuter de la foi et qu'ensuite seulement, lorsqu'on aurait constaté qui étaient les juges, on connaisse de la cause. Mais Valens et ses alliés voulaient d'abord arracher la condamnation d'Athanase, n'osant pas discuter sur la foi. Cette lutte des partis aboutit à l'exil de Paulin [1].

Hilaire, dans ses *Fragmenta historica*, rappelle également les circonstances de l'exil de Paulin de Trèves :

Je commencerai donc par les faits qui se sont déroulés récemment, c'est-à-dire à dater du jour où pour la première fois, en la ville d'Arles, mon frère et collègue dans le ministère, Paulin, évêque de Trèves, refusa de s'associer à cette perversité et à cette hypocrisie. J'exposerai quelle fut la résolution à laquelle il retira son accord, ce qui le fit juger par les évêques indigne de l'Église, et par le prince digne de l'exil...

1. Paulin était évêque de Trèves. Il mourut en Phrygie.

CONCILE DE BÉZIERS
(356)

Hilaire de Poitiers ayant excommunié Valens, Ursace
et Saturninus d'Arles, ceux-ci répliquèrent en convoquant
un concile à Béziers au début de 356. Hilaire et les
évêques orthodoxes furent présents, mais ils ne purent
faire prévaloir leurs thèses. Hilaire fut dénoncé auprès
du César Julien, et Constance l'exila en Phrygie. Les
actes du concile ne nous sont pas parvenus [1].

1. C. Douais, *L'Église des Gaules et le conciliabule de Béziers*,
Poitiers 1875 ; Hefele-Leclercq, I², p. 884-885 ; Griffe, I, p. 224-
228 ; Meslin, *Ariens*, p. 35 ; « Hilaire », p. 23-26 ; Doignon, p. 455-
468 (spécialement p. 456).

CONCILIVM BITERRENSE
356

Qui postea, per factionem eorum pseudoapostolorum
ad Biterrensem synodum compulsus cognitionem demons-
trandae huius hereseos obtuli. Sed hi timentes publicae
conscientiae audire ingesta a me noluerunt, putantes se
innocentiam suam Christo posse mentiri, si uolentes nesci-
rent quod gesturi postmodum essent scientes.

(Hilarii *Contra Constantium imperatorem liber*, 2, *PL* 10,
579.)

Hilarius urbis Pictauorum Aquitanicae episcopus fac-
tione Saturnini Arelatensis episcopi, de synodo Biterrensi
Phrygiam relegatus...

(Hieronymi *De scriptoribus ecclesiasticis*, 100, *PL* 23, 699 ;
cf. ed. E. C. Richardson, *TU* 14, 47-48.)

CONCILE DE BÉZIERS
356

Hilaire de Poitiers, qui a plusieurs fois parlé du concile de Béziers, donne dans le *Contra Constantium imperatorem liber*, 2 (*PL* 10, c. 579) les précisions suivantes :

Contraint par la faction de ces pseudo-apôtres d'assister au concile de Béziers, j'ai proposé une enquête qui mît en lumière cette hérésie [1]. Mais eux, redoutant un témoignage public [2], refusèrent d'entendre ce que j'avais accumulé. Ils pensaient pouvoir mentir au Christ au sujet de leur innocence, en ignorant volontairement ce qu'ils allaient sciemment faire ensuite.

L'exil d'Hilaire est signalé par s. Jérôme (*De scriptoribus ecclesiasticis*, 100, *PL* 23, c. 699 ; cf. éd. E. C. Richardson, *TU* 14, p. 47-48) :

Hilaire, évêque de Poitiers en Aquitaine, fut exilé par la faction de Saturninus, évêque d'Arles, du concile de Béziers en Phrygie...

1. L'arianisme.
2. Sur la *conscientia publica*, cf. DOIGNON, p. 425, n. 6.

CONCILE DE PARIS
(360/361)

Après que Julien eut été proclamé empereur par ses troupes au début de 360, les évêques gaulois, libérés des contraintes imposées par Constance, se réunirent à Paris, sans doute au cours de l'été 360. Le concile, dont les actes ne nous sont pas parvenus, est surtout connu par un passage de la *Chronique* de Sulpice Sévère et par le texte d'une lettre des membres de l'assemblée aux évêques orientaux ; celle-ci nous a été conservée par Hilaire de Poitiers.

Hilaire venait de rentrer en Gaule [1], porteur d'une lettre des évêques orientaux. Dans leur réponse, les évêques gaulois désavouent leur adhésion aux actes du concile de Rimini (359) et se rallient aux thèses nicéennes [2].

1. SULPICE SÉVÈRE, *Chronicorum lib.* II, 45 (*CSEL* 1, p. 98-99).
2. Sur ce concile, cf. HEFELE-LECLERCQ, I[2], p. 959-960 ; BARDY, *De la paix constantinienne...*, p. 238-239 ; A. L. FEDER, *Studien zu Hilarius von Poitiers*, I (*Sitzungsb. Ak. Wien*), Vienne 1910, p. 62-64 ; GRIFFE, I, p. 261-263 ; MESLIN, *Ariens*, p. 292 et 328 ; « Hilaire », p. 39.

CONCILIVM PARISIENSE
360/361

Verum ubi (Hilarius) permensus est orbem paene terrarum malo perfidiae infectum, dubius animi et magna curarum mole aestuans, cum plerisque uideretur non ineundam cum his communionem, qui Ariminensem synodum recipissent, optimum factu arbitratus reuocare cunctos ad emendationem et paeniteniam, frequentibus intra Gallias conciliis, atque omnibus fere episcopis de errore profitentibus, apud Ariminium gesta condemnat, et in statum pristinum ecclesiarum fidem reformat. Resistebat sanis consiliis Saturninus, Arelatensium episcopus, uir sane pessimus et ingenio malo prauoque. Verum is, praeter haeresis infamiam multis atque infandis criminibus conuictus, ecclesia eiectus est. Ita partium uires amisso duce infractae. Paternus etiam a Petrocoriis, aeque uecors nec detrectans perfidiam profiteri, sacerdotio pulsus; ceteris uenia data.

(Sulpicii Seueri *Chronicorum lib.* II, 45, *CSEL* 1, 98-99.)

CONCILE DE PARIS
360/361

Après qu'Hilaire eut arpenté presque toute la terre
infestée de la foi perverse, plein d'incertitude et accablé
sous le poids des soucis, et comme la majorité des évêques
estimait qu'il ne fallait pas entrer en communion avec
ceux qui avaient accepté le concile de Rimini, il pensa
que le mieux était d'inciter tout le monde à se corriger
et à faire pénitence ; au cours de conciles nombreux tenus
dans les Gaules, où presque tous les évêques firent l'aveu
de leur erreur, il condamna ce qui s'était fait à Rimini et
ramena la foi des églises à ce qu'elle avait été auparavant. A ces saines mesures s'opposait Saturninus, évêque
d'Arles, vraiment le pire des hommes, un esprit mauvais
et pervers. Or celui-ci, convaincu, en plus de l'infamie
d'hérésie, de crimes nombreux et horribles, fut chassé de
l'Église ; et ainsi la faction, privée de son chef, vit sa
vigueur brisée. Paternus de Périgueux également, tout
aussi fourbe et refusant de renoncer à sa perfidie, fut
exclu de l'épiscopat ; les autres obtinrent leur pardon.

(Sulpice Sévère, *Chronicorum lib.* II, 45 [1])

1. *PL* 20, c. 155 ; *CSEL* 1, p. 98-99.

INCIPIT FIDES CATHOLICA EXPOSITA
APVD PARISEAM CIVITATEM
AB EPISCOPIS GALLICANIS
AD ORIENTALES EPISCOPOS

Dilectissimis et beatissimis consacerdotibus episcopis Orientalibus omnibus per diuersas prouincias in Christo manentibus, Gallicani episcopi salutem.

1. Omni quidem uitae nostrae fideique sensu gratias Deo Patri per Dominum nostrum Iesum Christum confitemur, quod nos in lumine scientiae confessionis suae doctrinis et propheticis et apostolicis collocauit, ne saecularis imperitiae tenebris detenti iudicio saeculi teneremur, cum sola spes sit plenissima ad salutem, Deum Patrem omnipotentem per unigenitum eius Dominum Iesum Christum in sancto Spiritu confiteri. Sed plane non minor quotidie gratulationis nostrae causa cumulatur quod, liberans nos ab errore mundi, nunc etiam inexpiabili haereticorum admisceri non patitur societati. Ex litteris enim uestris, quas dilecto fratri et consacerdoti nostro Hilario credidistis, fraudem diaboli et conspirantia aduersus ecclesiam Domini haereticorum ingenia cognouimus, ut diuisi in partibus Orientis atque Occidentis diuersis inuicem opinionibus falleremur. Nam plures numero, qui aut Arimini aut Nichaeae adfuerunt, sub auctoritate uestri nominis ad usiae silentium sunt coacti. Quod uerbum a uobis quondam contra Ariomanitarum

---

1. Sur la réunion à Niké (Thrace) d'évêques orthodoxes et ariens venus de Rimini et la souscription qu'y consentirent les évêques orthodoxes de la Formule de Sirmium qui interdisait de parler d'*ousia*, cf. BARDY, *De la paix constantinienne...*, p. 164.
2. L'emploi d'*ousia* avait déjà été condamné à Sirmium en 317,

ICI COMMENCE L'EXPOSÉ
DE LA FOI CATHOLIQUE
FAIT EN LA CITÉ DE PARIS
PAR LES ÉVÊQUES GAULOIS
ET ADRESSÉ AUX ÉVÊQUES ORIENTAUX

A tous les évêques d'Orient, nos très chers et bienheureux confrères dans le sacerdoce, qui, à travers les diverses provinces, demeurent dans le Christ, les évêques gaulois adressent leur salut.

1. Nous rendons grâce à Dieu le Père par notre Seigneur Jésus Christ, avec toute la ferveur de notre vie et de notre foi, de ce qu'il nous a établis, par la doctrine des prophètes et des apôtres, dans la lumière de la science qui nous fait le confesser, pour que nous ne soyons pas, plongés dans les ténèbres de l'ignorance profane, prisonniers des jugements du siècle, alors que le seul espoir parfait du salut est de confesser Dieu le Père tout-puissant, par son Fils unique, notre Seigneur Jésus Christ, dans le Saint-Esprit. Et certes, la dette quotidienne de notre reconnaissance est encore accrue du fait que, nous délivrant des erreurs de ce monde, il ne permet pas non plus qu'à présent nous soyons confondus dans la société exécrable des hérétiques. Par votre lettre, que vous avez confiée à notre très cher frère et collègue dans le sacerdoce, Hilaire, nous avons appris les machinations du diable et les inventions des hérétiques ligués contre l'Église du Seigneur. Ils voulaient que, divisés entre Orient et Occident, nous soyons trompés par des doctrines différentes de part et d'autre. En effet, la majorité des évêques présents à Rimini ou à Niké [1] ont été contraints, sous la pression de votre autorité, à ne pas parler d'*ousia* [2]. Ce mot, trouvé naguère par vous pour répondre à l'hérésie

puis par le Credo daté du 22 mai 359. Cf. MESLIN, *Ariens*, p. 277-284.

haeresim inuentum, a nobis semper sancte fideliterque
susceptum est.

2. Nam homousion sermonem ad ueram et legitimam
ex Deo Patre unigeniti Dei natiuitatem sumus amplexi,
detestantes secundum Sabellii blasphemias ipsam unio-
nem neque aliquam partem Patris esse Filium intellegentes, sed ex toto atque perfecto innascibili Deo totum
atque perfectum unigenitum Deum natum, unius a nobis
idcirco uel usiae uel substantiae cum Deo Patre con-
fessum, ne creatura potius aut adoptio aut appellatio
uideretur, et quia ex ipso esset, ut ex Patre Filius, ut ex
Deo Deus, ut ex uirtute uirtus, ut ex spiritu spiritus, ut
lumen ex lumine ; similitudinem quoque eius ad Deum
Patrem non inuiti audientes — quippe cum « imago inui-
sibilis Dei ᵃ » sit —, sed eam solam similitudinem dignam
ad Patrem intellegentes, quae Dei ueri sit ad Deum
uerum, ita ut non unio diuinitatis, sed unitas intellegatur,
quia unio sit singularis, unitas uero secundum natiuitatis
ueritatem plenitudo nascentis sit, maxime <cum> Dominus ipse Iesus Christus ad discipulos suos sit professus,
dicens : « Ego et Pater unum sumus ᵇ » ; quo non solum
caritatem quae ad Patrem est, sed et diuinitatem quae
Dei ex Deo est significat secundum illud : « Qui me uidit,
uidit et Patrem ᶜ », et : « Si mihi non uultis credere, uel
operibus meis credite, quia Pater in me, et ego in Patre ᵈ. »

3. Hanc igitur semper fidem tenentes et tenebimus,
detestantes quoque eos qui dicunt : « Non erat ante quam
nasceretur » ; non quod unigenitum Deum innascibilem

a. Col. 1, 15 ‖ b. Jn 10, 30 ‖ c. Jn 14, 9 ‖ d. Lc 10, 38

1. Nom péjoratif soulignant le fanatisme des ariens (du grec
mania : folie).
2. Sur Sabellius, qui au début du iiiᵉ s., à Rome, s'opposa à
Hippolyte, et sur le sabellianisme au ivᵉ s., cf. G. BARDY, art.
« Monarchianisme », dans *DTC* 10, c. 2201-2207.

des « ariomanites [1] », a toujour été accepté par nous avec
vénération et avec foi.

2. Nous avons adopté le mot *homoousion* comme se
rapportant à la vraie et légitime naissance, de Dieu le
Père, de Dieu Fils unique, en réprouvant cette union
professée par les blasphèmes de Sabellius [2] et en n'enten-
dant pas que le Fils soit une partie du Père. Nous entendons que, de Dieu total et parfait, qui n'a pas connu de
naissance, est né le Fils unique, Dieu total et parfait. Ce
Fils, nous confessons par conséquent qu'il est d'une seule
ousia ou substance avec Dieu le Père, pour qu'on ne croie
pas qu'il y a plutôt création, ou adoption, ou appella-
tion ; car il est né de Lui, comme Fils né du Père, Dieu né
de Dieu, énergie née de l'énergie, esprit né de l'esprit,
lumière née de la lumière. Nous ne refusons pas non plus
d'entendre parler de sa ressemblance à Dieu le Père —
puisqu'il est « image du Dieu invisible [a] » —, mais nous
l'entendons de la seule ressemblance qui soit digne du
Père, ressemblance qui est celle du vrai Dieu au vrai Dieu,
comprenant ainsi qu'il n'y a pas union de divinité, mais
unité. L'union, en effet, est particulière, tandis que l'unité
est, selon la vérité de la naissance, plénitude de celui qui
est né. D'autant que le Seigneur Jésus Christ lui-même
a déclaré à ses disciples : « Moi et le Père, nous sommes
un [b]. » Par là il exprime non seulement l'amour qu'il
porte au Père, mais aussi la divinité qui est celle de Dieu
né de Dieu, conformément à cette parole : « Celui qui
m'a vu, a vu le Père [c] », et aussi : « Si vous ne voulez pas
me croire, croyez-en au moins mes œuvres, car le Père
est en moi, et moi dans le Père [d]. »

3. Cette foi, nous la gardons et la garderons toujours,
exécrant également ceux qui disent : « Il n'était pas avant
qu'il ne naquît [3] » ; non pas que nous proclamions que Dieu,

---

3. C'est la phrase que la tradition nicéenne attribuait, faussement,
à Arius. Le concile de Paris rejette ainsi toute génération temporelle
du Fils.

praedicemus, sed quod impium sit maxime Deo tempo-
rum tempus aliquod anteferre, cum ipsud illud : « ante-
quam nasceretur non fuit », sit temporis. Sed et obedien-
tem quoque Patri Filium, etiam « usque ad mortem
crucis [e] », secundum infirmitatem [f] adsumpti hominis,
non negamus, cum ipse de ascensu suo ad caelos locutus
sit : « Si diligeretis me, gauderetis quia uado ad Patrem,
quia Pater maior me est [g]. » Per cuius carnis susceptionem
nos sibi fratres connuncupare dignatus est, cum in forma
Dei manens, forma serui [h] esse uoluisset.

4. Itaque, carissimi, cum ex litteris uestris in usiae
silentio fraudem se passam simplicitas nostra cognoscat,
etiam pietatem eorum, qui de Arimino Constantinopolim
reuerterunt, conuentos, sicut epistola uestra contenta
testatur, neque eos ad tantarum blasphemiarum damnationem potuisse compellere, fidelis dominici nominis
praedicator, frater noster Hilarius nuntiauerit, nos quoque
ab his omnibus, quae per ignorantiam perpere gesta sunt,
referimus.

Auxentium et Vrsacium ac Valentem, Gaium, Mega-
sium et Iustinum excommunicatos habemus secundum
litteras uestras et certe, ut diximus, iuxta fratris nostri
Hilarii professionem, qui se pacem cum his qui horum
sectarentur errores [se] habiturum negauit. Blasphemias
quoque omnes, quas litteris uestris subiecistis, damnamus
maximeque eorum sacerdotes apostatas respuentes, qui
in loca fratrum indignissime exulantium quorumdam aut

e. Phil. 2, 8 ‖ f. Cf. II Cor. 13, 4 ‖ g. Jn 14, 28 ‖ h. Cf. Phil. 2, 6-7

1. *Innascibilis* : le terme ne convient proprement qu'à Dieu le
Père (cf. § 2) ; il est fréquemment employé par s. Hilaire (cf.
CSEL 65, p. 309 ; *TLL* VII, 1, c. 1690).
2. *Adsumptus homo* : la formule, discutée plus tard, est familière
à s. Hilaire (cf. *TLL* I, c. 933, 55).
3. Après le concile de Rimini (359), un nouveau concile, réuni
à Constantinople en 360, reprit les thèses de Rimini, répudiant en

Fils unique, ne connaisse pas la naissance [1], mais parce qu'il est parfaitement impie d'admettre un temps antérieur à Dieu, maître des temps, étant donné que cet énoncé-là : « Avant qu'il ne naquît, il n'était pas », est temporel. Et nous ne nions pas non plus que le Fils ait été obéissant au Père, et « jusqu'à la mort de la croix [e] », selon la faiblesse [f] de l'humanité assumée par lui [2], car il a dit lui-même, à propos de son ascension au ciel : « Si vous m'aimiez, vous vous réjouiriez de ce que je vais au Père, car le Père est plus grand que moi [g]. » En prenant cette chair, il a bien voulu que nous ayons en commun avec lui le nom de frères, quand, demeurant en la condition de Dieu, il a voulu prendre la condition d'esclave [h].

4. C'est pourquoi, très chers frères, puisque notre naïveté reconnaît, d'après votre lettre, avoir été abusée au sujet du silence fait sur l'*ousia* ; puisque la Piété de ceux qui sont revenus de Rimini à Constantinople [3] a été circonvenue, ainsi qu'en témoigne votre lettre conjointe ; puisque aussi notre frère Hilaire, prédicateur fidèle du nom du Seigneur, nous a rapporté qu'il n'avait pu les contraindre à condamner de si grands blasphèmes, nous aussi nous prenons acte de ce qui a été fait par eux tous à tort et par ignorance.

Nous tenons certes pour excommuniés Auxence, Ursace, Valens, Gaius, Megasius et Justinus [4], conformément à vos lettres et, comme nous l'avons dit, à la déclaration de notre frère Hilaire qui affirmait qu'il ne serait jamais en paix avec les participants de leurs erreurs. Tous les blasphèmes que vous avez mentionnés à la suite de vos lettres, nous les condamnons, et nous rejetons tout spécialement comme apostats leurs évêques qui, par ignorance ou impiété, ont pris la place de certains de nos

---

particulier le terme d'*ousia*, parce qu'il était inconnu des Écritures (HEFELE-LECLERCQ, I[2], p. 929-959) ; cf. BARDY, *De la Paix constantinienne...*, p. 169-170.

4. Principaux artisans des prises de position du concile de Rimini ; sur ces personnages, leur rôle et leur condamnation, cf. MESLIN, *Ariens*, p. 62, 65 et 83.

Conciles gaulois.   7

ignoratione aut impietate sunt substituti ; pollicentes hoc
coram Deo atque etiam confitentes, ut quisque his quae
statuimus intra Gallias putauerit renitendum, a communione ac sede sit sacerdotii abiciendus. Neque enim, ut
alia, aut occasionem praedicandi non damnando permit-
tens, aut contra Deum et Christi unigeniti Dei maiestatem
aliter quam nos de homousion significatione sentimus
obnitens, dignus erit sanctitate sacerdotii nomine iudi-
candus. A quo iam Saturninum, qui statutis salubribus
impiissime contradixit, secundum fratrum nostrorum
geminas iam litteras excommunicatum ab omnibus Gallicanis episcopis caritas vestra cognoscat. Quem et uetera
— dissimulata, iam diu licet — crimina et certa edita
epistolis suis nouae temeritatis irreligiositas indignum
episcopi nomine esse fecerunt.

EXPLICIT FIDES CATHOLICA EXPOSITA
APVD PARISEAM CIVITATEM
AB EPISCOPIS GALLICANIS
AD ORIENTALES EPISCOPOS.

(*Hilarii Collectanea antiariana parisina*, A, I, *CSEL* 65,
43-46.)

frères honteusement exilés. Nous promettons devant Dieu,
en même temps que nous déclarons que quiconque dans
les Gaules trouvera bon de s'opposer à ce que nous avons
décidé devra être rejeté de la communion et déposé de
son siège épiscopal. Notamment, quiconque laissera passer l'occasion de prêcher (sur ce sujet) sans condamner
(ces hérétiques), ou contreviendra à Dieu et à la majesté
du Christ Dieu, Fils unique, en pensant autrement que
nous quant au sens du mot *homoousion*, ne devra plus
être jugé digne du saint nom d'évêque. Sache votre Charité
que déjà Saturninus, qui s'est élevé avec une grande
impiété contre ces décisions salutaires, a été privé déjà
de ce nom et excommunié par tous les évêques de Gaule,
aux termes de deux lettres [1] de nos frères. Pour lui, à la
fois ses crimes anciens — quoique longtemps cachés —
et l'impiété évidente de ses audaces récentes, exprimée
dans ses lettres, l'ont rendu indigne du nom d'évêque.

ICI FINIT L'EXPOSÉ DE LA FOI CATHOLIQUE
FAIT EN LA CITÉ DE PARIS
PAR LES ÉVÊQUES GAULOIS
ET ADRESSÉ AUX ÉVÊQUES ORIENTAUX.

(Hilaire de Poitiers, *Fragmenta historica*. [*Collectanea
antiariana parisina*, A, I] [2]).

1. M. M. Meslin veut bien nous indiquer qu'il n'a rencontré nulle
part ailleurs mention de ces deux lettres.
2. Mansi, III, c. 357-359 ; *PL* 10, c. 710-713 ; *CSEL* 65, p. 43-
46, où l'on trouvera l'indication d'autres éditions.

CONCILE DE VALENCE [1]
(12 juillet 374)

Sur cette réunion interprovinciale d'évêques gaulois les sources littéraires ne donnent aucune information, sans doute parce qu'elle ne prit pas parti dans les grands débats théologiques qui divisaient alors l'Église. La lettre synodale aux évêques de Gaule, leur transmettant quatre canons disciplinaires promulgués par le concile, s'est conservée et, de plus, une lettre spécialement adressée au clergé de Fréjus. Par cette dernière, le concile refuse la candidature au siège de Fréjus du prêtre Acceptus, lequel tombait sous le coup d'un des canons qui venaient d'être promulgués.

TRANSMISSION : Les canons du concile de Valence, comme ceux du Ier concile d'Arles, figurent, en tout ou en partie, dans plusieurs collections gauloises du VIe siècle ainsi que dans d'autres collections canoniques anciennes :

C Coll. du ms. de Corbie : c. 4
Ly Coll. du ms. de Lyon : c. 1 a, 2, 4
L Coll. du ms. de Lorsch : c. 1 a, 2, 4
K Coll. du ms. de Cologne : c. 1-4
T Coll. du ms. d'Albi : c. 1 a, 2, 4 + 1 b, 3
M Coll. du ms. de Saint-Maur : c. 1 a, 2, 4
R Coll. du ms. de Reims : c. 1-4
N Coll. du ms. de Novare : c. 1 a, 2, 4 (MARTÍNEZ-DÍEZ, p. 464-465)
Epitome hispanica : c. 1 a, 2-4 (MARTÍNEZ-DÍEZ, p. 133)
Sp Hispana : c. 1 a, 2-4

1. Cf. HERBST, « Synode von Valence, 374 », *Tübing. theol. Quartalschr.* 9 (1827), p. 665 s. ; GRIFFE, I, p. 343-344.

D   Coll. du ms. de Diessen : c. 1-4
A   Coll. du ms. de Saint-Amand : c. 1-4

Le titre figure dans toutes les collections. L'adresse fait
défaut en *L* ; le prologue en *L*, *T*, *M* ; les souscriptions en
Ly, *L*, *T*, *M*, *N*, *Sp*, *A*.

La lettre à l'église de Fréjus, complète en *Ly*, *K*, *T*, *Sp*,
D, est dépourvue d'adresse en *L*. Elle est absente de *M*, *R*,
N, *A*.

ÉDITIONS : CRABBE, p. 241 ; SURIUS, p. 491 ; SIRMOND,
p. 18 ; LABBE, c. 904-908, 1087-1089 ; HARDOUIN, I, p. 795 ;
MANSI III, c. 491 ; GONZÁLEZ, *PL* 84, c. 205 ; TURNER,
p. 418 ; BRUNS, II, p. 111-113.

MUNIER, p. 35-45.

CONCILIVM VALENTINVM
374. Jul. 12.

STATVTA SYNODI
APVD ECCLESIAM VALENTINAM SVB
DIE IV. IDVS IVLIAS, GRATIANO III.
ET EQVITIO CONSVLIBVS

Dilectissimis fratribus per Gallias et Quinque Prouin-
cias constitutis episcopis, Foegadius, Eumerius, Floren-
tius, Artemius, Emilianus, Britto, Iustus, Euuodius,
Rhodanius, Eortius, Chrestus, Concordius, Constantius,
Paulus, Antherius, Neutherius, Nicetius, Felix, Vrbanus,
Simplicius et Vincentius episcopi in Domino salutem.

Transactis Valentiae omnibus et in Dei nomine in statu
meliore compositis, quae fuerant coepta causa discidii,
quorumdam fuit fratrum utilis et religiosa suggestio,
« retractandum etiam de his quae nec recipere possumus
ob ecclesiae sanctitatem, nec tamen usurpatae consue-
tudinis causa damnare ». Ita enim per omnes ecclesias
eiusmodi uitiorum germen inoleuit, ut ad plena remedia

---

1. Ce consulat correspond à l'année 374. *Gratiano IIII* est la
leçon de tous les mss à l'exception de *M*, qui donne *Gratiano III*.
C'est effectivement lors de son 3e consulat que l'empereur Gratien
fut le collègue d'Equitius. La correction de *IIII* en *III*, facile à
justifier, s'impose donc ; elle est admise par tous les historiens.
2. La formule doit s'entendre du diocèse des Gaules (qui com-
prenait les deux Germanies, les deux Belgiques, les trois Lugdu-
naises, la *Maxima Sequanorum* et les Alpes *Graiae* et *Poeninae*) et
de celui des Cinq ou des Sept Provinces (Aquitaine I et II, *Novem-
populania*, Narbonnaise I et II, Viennoise et Alpes Maritimes).
Cette mention des « Cinq Provinces » n'est pas isolée : cf., p. ex., la
lettre de Maxime à Sirice (*Collectio Avellana*, no 40, CSEL 35, 1,
p. 91) ou l'*incipit* des actes du concile de Turin (*infra*, p. 137) ; celle
des « Sept Provinces » apparaît pour la première fois dans la synodale du concile de Nîmes en 396 (*infra*, p. 127). Sur ce vocabulaire,
cf. CHASTAGNOL, « Repli sur Arles », p. 24-26.

CONCILE DE VALENCE
12 juillet 374

STATUTS DU CONCILE TENU EN L'ÉGLISE
DE VALENCE LE 4 DES IDES DE JUILLET,
ÉTANT CONSULS GRATIEN POUR LA 3e FOIS
ET EQUITIUS [1]

A nos frères très chers, les évêques des Gaules et des
Cinq Provinces [2], Foegadius, Eumerius, Florentius, Arte-
mius, Emilianus, Britto, Justus, Euvodius, Rhodanius,
Eortius, Chrestus, Concordius, Constantius, Paulus,
Antherius, Neutherius, Nicetius, Félix, Urbanus, Simpli-
cius et Vincentius, évêques [3], salut dans le Seigneur.

Une fois traités à Valence et réglés de façon satisfaisante, au nom du Seigneur, tous les points abordés au
sujet du schisme [4], certains frères firent une proposition
utile et religieuse, celle « de remettre en discussion ce que
nous ne pouvions ni accepter en raison de la sainteté de
l'Église, ni cependant condamner devant certains usages
qui se sont établis ». En effet, les germes de vices de ce
genre se sont si bien enracinés dans toutes les églises

3. Certains de ces évêques peuvent être identifiés. Foegadius (ou
Phoebadius) fut évêque d'Agen. Il avait été exilé à la suite du con-
cile de Béziers de 356, mais il joue de nouveau un rôle important
aux conciles de Rimini de 359 et de Saragosse de 380 (Duchesne,
Fastes, II, p. 63) ; il est l'auteur d'un traité contre les ariens (édité
par A. Durengues, *Le livre de saint Phébade contre les Ariens*,
Agen 1927). Eumerius doit être l'évêque de Nantes (Duchesne,
Fastes, II, p. 365) ; Florentius est celui de Vienne ; Artemius, peut-
être celui d'Embrun (*ibid.*, I, p. 291, n. 1) ; Emilianus est celui de
Valence ; Britto, celui de Trèves ; Justus, celui de Lyon ; Euvodius,
probablement celui du Puy (Turner, p. 83) ; Eortius est celui
d'Orléans ; Concordius, celui d'Arles ; Constantius, celui d'Orange ;
Paulus, peut-être celui de *Tricastinum* ; Simplicius, peut-être celui
d'Autun ; Vincentius, peut-être celui de Digne. — Cf., en plus de
Duchesne, *Fastes*, Griffe, I, p. 343, et Munier, p. 232-243 :
Index nominum.

4. Il s'agit de la crise arienne.

difficilis sit recursus ; certe non sine uerecundia eorum
quos causa contingit. Quodcirca, fratres, librato diu mode-
ratoque consilio ea cautelae ratio seruata est, quae et
scandala submoueret et sanctitatem ecclesiae custodiret.

1. Sedit igitur neminem post hanc synodum, qua eiusmodi illicitis uel sero succurritur, digamos aut internup-
tarum maritos ordinari clericos posse ; nec requirendum
utrumne initiati sacramentis diuinis, anne gentiles, hac
se infelicis sortis necessitate macularint, cum diuini
praecepti certa sit forma [a]. Sed quia fratrum nostrorum
uel imperitiam uel simplicitatem uel etiam praesump-
tionem damnare non possumus, nec per omnes ecclesias
quae sunt iam pridem male gesta corrigere, placuit etiam
de eorum statu qui prius ordinati sunt nihil reuolui, si
nulla extrinsecus causa procedat qua indigni ministerio
comprobentur.

2. De puellis uero quae se uouerint (Deo et praeclari
nominis decore floruerint), si ad terrenas nuptias sponte
transierint, id custodiendum esse decreuimus, ut paeni-

a. Cf. Éz. 44, 22 ; I Tim. 3, 2 ; Tite 1, 6

1. Le concile de Valence, dans sa lettre à l'église de Fréjus (*infra*,
p. 110), emploie a deux reprises, comme ici, l'expression *sedit in synodo*
au sens de *decretum fuit*.
2. Cf. c. 25 attribué au concile d'Arles de 314. Une disposition
analogue se retrouve au c. 5 de l'*Epistula ad Gallos episcopos* (Bruns,
II, p. 275-276). Ce texte contient une décrétale de Damase (366-
384) ou plus probablement de Sirice (384-399), transmettant à la
Gaule les décisions d'un concile tenu à Rome vers 374 (sur les discussions d'attribution soulevées par ce texte, cf. J. Gaudemet,
L'Église dans l'Empire romain, p. 220). Cette disposition est l'application du principe paulinien déclarant que le presbytre doit être
unius uxoris vir (*I Tim.* 3, 2 ; *Tite* 1, 6). La législation sur cette
question est au IVe siècle très abondante (cf. Gaudemet, *ibid.*,
p. 140-141.)
3. Ici s'interrompt le canon 1 dans la moitié des collections,
celles qui omettent aussi le c. 3. Ces suppressions vont dans le sens
d'une plus grande sévérité.

qu'il serait difficile de recourir à des remèdes radicaux,
qui n'iraient certes pas sans honte pour ceux qui sont
concernés. C'est pourquoi, frères, après une délibération
mûrement pesée et mesurée, nous nous en sommes tenus
à des mesures prudentes qui, à la fois, écarteront les
scandales et sauvegarderont la sainteté de l'Église.

1. Il a donc été décidé [1] qu'à dater de ce concile, qui
porte un remède bien tardif aux pratiques illicites de ce
genre, aucun de ceux qui ont été mariés deux fois ou ont
épousé une femme qui a déjà été mariée ne pourra être
ordonné clerc [2]. Et il n'y aura pas à rechercher s'ils se sont
ainsi souillés par le lien de cette fâcheuse situation alors
qu'ils étaient déjà initiés aux divins mystères ou lorsqu'ils étaient encore païens [3], étant donné que la disposition du précepte divin est nette [a]. Mais, parce que nous
ne pouvons pas condamner l'ignorance ou la naïveté ou
même la présomption de nos frères, ni corriger les erreurs
anciennes commises dans toutes les églises, il a été décidé
aussi de ne rien modifier à la situation de ceux qui ont
été ordonnés précédemment, s'il ne se présente par ailleurs aucun motif établissant qu'ils sont indignes du
ministère [4].

2. Pour les jeunes filles qui se sont vouées (à Dieu et
qui ont brillé de l'éclat d'un si beau nom) [5], si elles
passent de leur propre gré à des noces terrestres, nous
avons décrété cette règle : que d'une part, il ne faudra
pas leur accorder immédiatement la pénitence ; que

4. Solution modérée qui applique le principe de la non-rétroacti-
vité de la loi. Cette concession prouve la nouveauté de la mesure
prise par le concile. La sévérité nouvelle ne pouvait mettre en
question des ordinations faites dans un régime plus libéral.
5. Le nom d'épouses du Christ. — Cette incise pourrait être une
glose. Elle ne figure, en effet, que dans K. On la retrouve pourtant
dans le c. 52 de la collection dite « IIe concile d'Arles », qui s'inspire
largement du c. 2 de Valence (MUNIER, p. 124). Elle a été maintenue
par les premiers éditeurs et par TURNER. On s'expliquerait une
omission faite ici par passage du même au même (*uouerint/floruerint*). Par ailleurs *se uouerint*, employé seul, paraît une expression
bien abrupte.

tentia his nec statim detur et, cum data fuerit, nisi plene
satisfecerint Deo, in quantum ratio poposcerit, earumdem
communio differatur.

3. Circa eorum uero personas, qui se post unum et
sanctum lauacrum uel profanis sacrificiis daemonum uel
incesta lauatione polluerint, eam censurae formam duxi-
mus esse seruandam, ut his iuxta synodum Nicaenam
satisfactionis quidem aditus non negetur, nec infelicibus
lacrimis uel solacii ianua disperatione claudatur : acturi
paenitentiam usque in diem mortis, non sine spe tamen
remissionis quam ab eo plene sperare debebunt qui ius
eius et solus obtinet et tam diues misericordiae est ut
nemo disperet : « Deus, enim, mortem non fecit nec laeta-
tur in perditione uiuorum [b]. »

4. Nec illud, fratres, scribere alienum ab ecclesiae utilitate censuimus, ut sciretis quicumque se sub ordinatione
uel diaconatus uel prebyterii uel episcopatus mortali cri-
mine dixerint esse pollutos, a supradictis ordinationibus
submouendos, reos scilicet uel ueri confessione uel men-
dacio falsitatis. Neque enim absolui in his potest, si ipsi
in seipsos dixerint quod dictum in alios puniretur, cum
omnis qui sibi fuerit mortis causa, maior homicida sit.

Diuina uos pietas in aeternum protegat, fratres dilectissimi.

b. Sag. 1, 13

─────────

1. Le concile d'Elvire (c. 13), tout en admettant la réconciliation des vierges qui s'étaient consacrées à Dieu, s'était montré
plus rigoriste que les Pères de Valence. Le c. 1 du concile romain
des années 374 (*Epistula ad Gallos episcopos*, BRUNS, II, p. 275)
adopte au contraire une solution très voisine de celle du concile de
Valence. Mais les conciles d'Elvire et de Rome, à la différence du
concile de Valence, distinguent la faute de la vierge qui avait fait
profession de celle d'une jeune fille qui n'avait pris aucun engagement formel.

2. *Lauatio* : terme surtout profane contrastant avec *lauacrum*,
qui désigne couramment le baptême. Il s'agit plutôt de rites païens

d'autre part, lorsque celle-ci leur aura été donnée, la
communion ne leur sera pas accordée, dans la mesure où
ce sera raisonnablement possible, avant qu'elles n'aient
pleinement satisfait à Dieu [1].

3. Pour les personnes qui après l'unique et saint baptême se sont souillées soit par des sacrifices profanes aux
démons, soit par un bain sacrilège [2], nous avons estimé
qu'il faut leur appliquer la sorte de censure que voici :
que, conformément au concile de Nicée [3], on ne leur refuse
pas en tout cas l'accès à la satisfaction [4] et que du moins
la porte de la consolation ne soit pas fermée aux larmes
de ces malheureux, pour leur désespoir. Qu'ils fassent
pénitence jusqu'au jour de leur mort, mais non sans
espérance de la rémission qu'ils devront pleinement espé-
rer de Celui qui, tout à la fois, maintient seul son droit et
se montre si riche de miséricorde que personne ne doit
désespérer : « Dieu, en effet, n'a pas fait la mort, et il ne
se réjouit pas de la perte des vivants [b]. »

4. Nous n'avons pas cru non plus, frères, écrire quelque
chose qui ne soit pas conforme aux intérêts de l'Église en
vous faisant savoir que tous ceux qui, sur le point d'être
ordonnés diacres, prêtres ou évêques, se déclareraient
souillés d'une faute mortelle doivent être écartés de
pareilles ordinations comme coupables ; car ou bien ils
ont confessé ce qui est vrai, ou bien ils ont affirmé menson-
gèrement ce qui faux. On ne peut en effet les absoudre
s'ils portent contre eux-mêmes une accusation qui, portée
contre d'autres, serait punie, car quiconque est la cause
de sa propre mort est plus qu'homicide.

Que la divine bonté vous protège pour l'éternité, frères
très chers.

---

que de réitération du baptême par les hérétiques : ces bains décrits
par TERTULLIEN, *De baptismo*, VI, 1, sont encore réprouvés par
CÉSAIRE D'ARLES, *Sermo* 33, 4.

3. Canon 13 ; mais ce texte ne concernait que la réconciliation
des pécheurs en danger de mort.

4. C'est-à-dire les moyens qui leur permettront d'obtenir le pardon en satisfaisant à Dieu par leur pénitence.

Subscriptiones

Ego Florentius episcopus ecclesiae Vienninsis subscripsi.

Ego Aemilianus opto uos fratres in Domino bene ualere.

Ego Eumerius opto uos fratres in Domino bene ualere.

Ego Artemius opto uos fratres in Domino bene ualere.

Ego Euodius opto uos fratres in Domino bene ualere.

Ego Antherus opto uos fratres in Domino bene ualere.

Ego Rodanius opto uos fratres in Domino bene ualere.

Ego Chrestus opto uos fratres in Domino bene ualere.

Ego Neuterius opto uos fratres in Domino bene ualere.

Ego Orbanus opto uos fratres in Domino bene ualere.

Ego Artemius opto uos fratres in Domino bene ualere.

Ego Iustus opto uos fratres in Domino bene ualere.

Ego Paulus opto uos in Domino bene ualere.

Ego Vincentius opto uos in Domino bene ualere.

Ego Symplicius opto uos in Domino bene ualere.

Ego Aemilius opto uos in Domino bene ualere.

Ego Britto opto uos in Domino bene ualere.

Ego Concordius opto uos in Domino bene ualere.

Ego Orbanus opto uos in Domino bene ualere.

Ego Nicetius opto uos in Domino bene ualere.

Expl. can. Valent. epi N. XX.

1. Comme pour le concile d'Arles de 314, les mss qui ont transmis les noms des souscripteurs du concile de Valence présentent
certaines variantes. Nous reproduisons la liste de *K*. L'édition
Munier donne de plus, p. 41-42, celle de *T* (2ᵉ recension) et celle
de *RD*. Elle donne également, p. 43, les *capitula*, c'est-à-dire la
table des canons de ce concile, d'après *C*, *M*, *Sp* et *A*. — Sur les
identifications de certains de ces évêques, cf. p. 103, n. 3.

2. Ce nom figurait déjà plus haut dans la liste.

3. Ce nom ne figure pas dans l'adresse initiale. N'est-ce pas un
doublet d'Emilianus ?

4. Ce nom figurait déjà plus haut dans la liste.

5. Cette liste de 20 noms, dont 2 et sans doute 3 sont des dou-
blets, omet, parmi les 21 noms qui figurent dans l'adresse initiale
et que l'on retrouve dans l'adresse de la lettre à l'église de Fréjus,
ceux de Foegadius, Eortius, Constantius et Félix.

Souscriptions [1]

Moi, Florentius, évêque de l'église de Vienne, j'ai souscrit.

Moi, Emilianus, je vous souhaite, frères, la santé dans le Seigneur.

Moi, Eumerius, je vous souhaite, frères, la santé dans le Seigneur.

Moi, Artemius, je vous souhaite, frères, la santé dans le Seigneur.

Moi, Euvodius, je vous souhaite, frères, la santé dans le Seigneur.

Moi, Antherius, je vous souhaite, frères, la santé dans le Seigneur.

Moi, Rhodanius, je vous souhaite, frères, la santé dans le Seigneur.

Moi, Chrestus, je vous souhaite, frères, la santé dans le Seigneur.

Moi, Neutherius, je vous souhaite, frères, la santé dans le Seigneur.

Moi, Urbanus, je vous souhaite, frères, la santé dans le Seigneur.

Moi, Artemius, je vous souhaite, frères, la santé dans le Seigneur [2].

Moi, Justus, je vous souhaite, frères, la santé dans le Seigneur.

Moi, Paulus, je vous souhaite la santé dans le Seigneur.

Moi, Vincentius, je vous souhaite la santé dans le Seigneur.

Moi, Simplicius, je vous souhaite la santé dans le Seigneur.

Moi, Emilius, je vous souhaite la santé dans le Seigneur [3].

Moi, Britto, je vous souhaite la santé dans le Seigneur.

Moi, Concordius, je vous souhaite la santé dans le Seigneur.

Moi, Urbanus, je vous souhaite la santé dans le Seigneur [4].

Moi, Nicetius, je vous souhaite la santé dans le Seigneur.

Ici s'achèvent les canons de Valence ; les évêques au nombre de vingt [5].

EPISTVLA AD FOROIVLIENSES

Dilectissimis fratribus clero et plebi ecclesiae Foroiu-
liensium, Foegadius, Eumerius, Florentius, Artemius,
Emilianus, Britto, Iustus, Euuodius, Rodanius, Aortius,
Chrestus, Concordius, Constantius, Paulus, Anterius,
Neutherius, Nicetius, Vrbanus, Felix, Symplicius et Vin-
centius episcopi in Domino salutem.

Quamuis ea benedictus frater noster Concordius de
sanctissimi Accepti persona suggesserit, quae prudenti
et christiano uiro digna sint, quamque, quo studio
omnium uestrum, ad honorem sacerdotii poscatur edixe-
rit, tamen, quia in synodo iam sederat ordinationes huiusmodi submouendas, quae sine scandalo esse non possint,
non potuimus praestare uni quod ceteris negabatur. Et
licet non ignoraremus multos uerecundia et nonnullos
suscipiendi sacerdotii metu trepidos — quae utique signa
sunt sanctitatis — falsa in se reiciendi honoris causa
dixisse, tamen, quia omnium fere ad ea quae sunt peiora
procliue iudicium est et materies disputationum obtrecta-
tione sacerdotum Dei quaeritur, sedit in synodo ut quis-
quis de se uel uera uel falsa dixisset, fides ei quam suomet
testimonio confirmaret haberetur, submouendus protinus
ab eo gradu quem ab omni scandalo liberum esse decet.

Diuina uos pietas in aeternum protegat, fratres
dilectissimi.

---

1. Cette lettre ne figure que dans certaines collections (cf. *supra*,
p. 101).
2. Eortius, comme dans l'adresse et les souscriptions ci-dessus :
le ms. donne *Aortius*.
3. Cette liste de noms est identique à celle qui figure dans l'adresse
de la lettre synodale précédente (p. 102).

LETTRE A L'ÉGLISE DE FRÉJUS [1]

A nos frères très chers, clergé et peuple de l'Église de
Fréjus, Foegadius, Eumerius, Florentius, Artemius, Emi-
lianus, Britto, Justus, Euvodius, Rhodanius, Eortius [2],
Chrestus, Concordius, Constantius, Paulus, Antherius,
Neutherius, Nicetius, Urbanus, Félix, Simplicius et Vin-
centius, évêques [3], salut dans le Seigneur.

Quoique notre frère béni Concordius ait fait valoir en
la personne du très saint Acceptus des qualités dignes
d'un homme prudent et chrétien, et qu'il ait déclaré avec
quel empressement de vous tous il était réclamé pour
l'honneur du sacerdoce, néanmoins, parce qu'il avait
déjà été décidé au concile que l'on devait écarter de
pareilles ordinations, qui ne pouvaient aller sans scandale, nous n'avons pu accorder à l'un ce qui était refusé
aux autres. Et bien que nous n'ignorâmes point que beaucoup par modestie et quelques-uns par appréhension et
par crainte de recevoir le sacerdoce — ce qui est certes
un signe de sainteté — avaient dit contre eux-mêmes des
choses inexactes afin de détourner cet honneur, cependant, parce que le jugement de presque tous les hommes
est enclin à voir plutôt le mal, et parce qu'on cherche
matière à discussion dans le dénigrement des prêtres de
Dieu, il a été décidé au concile que, quoi que chacun ait
dit de vrai ou de faux sur son propre compte, on lui ferait
confiance sur ce qu'il confirmait par son propre témoignage, et qu'il serait écarté sans plus d'un ordre qui doit
être exempt de tout scandale [4].

Que la divine bonté vous protège pour l'éternité, frères
très chers [5].

---

4. Cf. c. 4.
5. Le ms. D ajoute : « Moi, Florentius, évêque, je vous souhaite,
frères, la santé dans le Seigneur. Moi Emilianus, je vous souhaite,
frères, la santé dans le Seigneur. »

CONCILE DE BORDEAUX
(384-385)

Les doctrines de Priscillien répandues en Espagne et dans le sud de la Gaule à partir des environs de 370 avaient été condamnées en octobre 380 par un concile réuni à Saragosse, auquel prirent part deux évêques d'Aquitaine, Delphinus de Bordeaux et Phoebadius d'Agen. En 382, sur la sollicitation de certains évêques espagnols, Gratien prenait un édit qui frappait d'exil les « manichéens », expression générale et vague qui englobait les priscillianistes. Mais Priscillien obtint l'annulation de l'édit. C'est alors que Maxime (Magnus Maximus), proclamé empereur en 383 par l'armée de Bretagne, convoqua un concile à Bordeaux pour juger Priscillien. Le concile prononça la déchéance d'Instance, un évêque espagnol rallié aux idées de Priscillien. Ce dernier contesta la compétence du concile et fit appel à l'empereur. Conduit à Trèves, il y fut condamné à mort et exécuté avec quatre de ses adeptes [1].

1. Cf. HEFELE-LECLERCQ, II¹, p. 66-67 ; LABRIOLLE, *De la paix constantinienne...*, p. 386-392 et PALANQUE, *ibid.* p. 466-467 ; STEIN-PALANQUE, p. 202-204 ; GRIFFE, I, p. 318-323 ; voir l'exposé récent de A. TRANOY, éd. de la *Chronique* d'Hydace, *SC* 219, p. 20-23.

CONCILIVM BVRDIGALENSE
384-385

Igitur ubi Maximus oppidum Treuerorum uictor ingressus est, ingerit preces plenas in Priscillianum ac socios eius inuidiae atque criminum, quibus permotus imperator, datis ad praefectum Galliarum atque ad uicarium Hispaniarum litteris, omnes omnino quos labes illa inuoluerat deduci ad synodum Burdigalensem iubet. Ita deducti Instantius et Priscillianus ; quorum Instantius prior iussus causam dicere, postquam se parum expurgabat, indignus esse episcopatu pronuntiatus est. Priscillianus uero, ne ab episcopis audiretur, ad principem prouocauit ; permissumque id nostrorum inconstantia, qui aut sententiam uel in refragantem ferre debuerant, aut si ipsi suspecti habebantur, aliis episcopis audientiam reseruare, non causam imperatori de tam manifestis criminibus permittere. Ita omnes quos causa inuoluerat ad regem deducti.

(Sulpicii Seueri *Chronicorum lib.* II, 49-50, *CSEL* 1, 102-103.)

Arcadio et Bautone
...Priscillianus in synodo Burdigalensi damnandum se intellegens, ad imperatorem [Maximum] prouocauit, auditusque Treueris ab Euuodio praefecto praetorio, Maximi gladio addictus est, cum Euchrotia Delfidi rhetoris coniuge et Latroniano aliisque erroris consortibus.

(Prosperi Aquitani *Epitoma Chronicon*, n. 1187, *MGH, AA* 9, 462.)

1. *CSEL* 1, p. 102-103 ; *PL* 20, c. 157. Les récits de Sulpice Sévère ont été traduits par P. Monceaux (p. 137-139).

2. Priscillien avait déjà été condamné comme hérétique à Saragosse en 380 (Sulpice Sévère, *Chronicorum liber* II, 47).

CONCILE DE BORDEAUX
384-385

Le concile de Bordeaux est signalé par Sulpice Sévère, *Chronicorum lib.* II, 49, 6 - 50, 1[1] :

Après que Maxime est entré en vainqueur à Trèves, Ithace fait entendre des doléances pleines de haine et d'accusations contre Priscillien et ses adeptes. Troublé par ces allégations, l'empereur remet au préfet des Gaules et au vicaire des Espagnes des lettres ordonnant de traduire devant un concile réuni à Bordeaux tous ceux sans exception qu'avait atteints la souillure de l'hérésie[2]. Ainsi furent traduits Instance et Priscillien. Invité à défendre sa cause le premier, Instance, après qu'il se fut faiblement disculpé, fut déclaré indigne de l'épiscopat. Quant à Priscillien, pour n'avoir pas à s'expliquer devant les évêques, il fit appel à l'empereur. Les nôtres, par irrésolution, admirent le fait, alors qu'ils auraient dû, soit trancher en dépit de sa résistance, soit, s'il les tenait en suspicion, renvoyer l'affaire à d'autres évêques, mais non pas permettre à l'empereur de connaître de crimes si évidents. C'est ainsi que tous ceux qui étaient impliqués dans le procès furent traduits devant l'empereur[3].

Également par Prosper d'Aquitaine, *Epiloma Chronicon* (n. 1187)[4] :

Consulat d'Arcadius et de Bauto (385)
... Priscillien, voyant qu'il allait être condamné au concile de Bordeaux, fit appel à l'empereur Maxime. Il fut entendu à Trèves par le préfet du prétoire Euvodius et livré au glaive de Maxime avec Euchrotia, femme du rhéteur Delphidius, Latronianus et ses autres compagnons d'erreur[5].

3. *Ad regem* : formule manifestement inexacte.
4. *MGH, AA* 9, p. 462 ; *PL* 51, c. 586.
5. Cf. SULPICE SÉVÈRE, *Chronicorum lib.* II, 50, 7 à 51, 7. D'après

Sulpice Sévère (*ibid.* 50, 8), ce seraient les pratiques immorales et magiques reprochées à Priscillien et à ses adeptes qui auraient provoqué la condamnation. Le tribunal impérial ne se serait donc pas prononcé sur la doctrine théologique de Priscillien. La lettre de Maxime au pape Sirice fait état de liens avec les « manichéens » (*Collectio Avellana*, n° 40, *CSEL* 35, 1, p. 90-91). — Le procès et l'exécution de Priscillien auraient eu lieu non en 385, mais en 386 selon J.-R. PALANQUE, *Saint Ambroise et l'Empire romain*, p. 518, et *De la paix constantinienne...*, p. 467, n. 4.

CONCILE DE TRÈVES
(386)

La condamnation de Priscillien et de ses compagnons, le rôle d'accusateur joué dans le procès par l'évêque d'Ossonoba, Ithace, provoquèrent un profond malaise dans l'épiscopat gaulois. Une assemblée d'évêques réunis à Trèves pour élire un successeur à l'évêque Britto qui venait de mourir se partagea sur l'attitude à tenir vis-à-vis d'Ithace [1].

Pas plus que pour le concile de Bordeaux, nous n'avons conservé d'actes du concile de Trèves. Celui-ci n'est connu que par les sources littéraires, et surtout par les *Dialogues* de Sulpice Sévère (*Dial.* II [III], 11, 2-5 ; 12, 2 à 13, 6 [2]).

1. Cf. Hefele-Leclercq, II[1], p. 67 ; Palanque, *De la paix constantinienne...*, p. 467-468 ; Griffe, I, p. 323-327.
2. *PL* 20, c. 217-219 ; *CSEL* 1, p. 208-211. Cf. la traduction de Monceaux, p. 238-239 ; 241-243. — La valeur de ce témoignage de Sulpice Sévère est discutée par E.-Ch. Babut, *Saint Martin de Tours*, Paris, s. d. (1910-1912), p. 138-155, où l'on trouvera également une étude sur Sulpice Sévère.

CONCILIVM TREVIRENSE
386

Maximus imperator, alias sane bonus, deprauatus
consiliis sacerdotum, post Priscilliani necem Ithacium
episcopum Priscilliani accusatorem ceterosque illius socios,
quos nominari non est necesse, ui regia tuebatur, ne quis
ei crimini daret, opera illius cuiuscumque modi hominem
fuisse damnatum. Interea Martinus multis grauibusque
laborantium causis ad comitatum ire compulsus, pro-
cellam ipsam totius tempestatis incurrit. Congregati apud
Treueros episcopi tenebantur ; qui quotidie communicantes Ithacio communem sibi causam fecerant. His ubi
nuntiatum est inopinantibus adesse Martinum, totis
animis labefactati mussitare et trepidare coeperunt. Et
iam pridie imperator ex eorum sententia decreuerat tri-
bunos summa potestate armatos ad Hispanias mittere,
qui haereticos inquirerent, deprehensis uitam et bona
adimerent...

Sed ille, licet episcopis nimio fauore esset obnoxius, non
erat nescius Martinum fide, sanctitate, uirtute cunctis
praestare mortalibus. Alia uia sanctum uincere parat.
Ac primo secreto accersitum blande appellat, haereticos
iure damnatos more iudiciorum publicorum potius quam
insectationibus sacerdotum ; non esse causam qua Ithacii
ceterorumque partis communionem putaret esse dam-

---

1. *Vi regia* : confusion fréquente entre roi et empereur (cf. *supra*,
p. 115, n. 3).
2. Suit le récit des craintes des évêques : si Martin refusait la
communion avec eux, son geste serait d'un grand poids. Ils ob-
tiennent que Maxime mette comme condition à l'entrée de Martin

CONCILE DE TRÊVES
386

L'empereur Maxime, homme de bien par ailleurs, poussé au mal par les conseils des évêques, protégeait de sa puissance impériale [1], après l'exécution de Priscillien, l'évêque Ithace, accusateur de Priscillien, et ses partisans, qu'il est inutile de nommer. Il voulait éviter que l'on fît grief à Ithace d'avoir provoqué la condamnation d'un homme, quel qu'il fût. Sur ces entrefaites, Martin, obligé d'aller à la cour en raison de nombreux et importants procès mettant des gens en péril, fut pris dans la tempête et ses bourrasques. Les évêques se trouvaient réunis à Trèves ; en rapports quotidiens avec Ithace, ils avaient fait avec lui cause commune. Lorsqu'on leur annonça l'arrivée inopinée de Martin, ils perdirent toute leur assurance et se mirent à murmurer et à s'agiter. Or, la veille déjà, sur leur avis, l'empereur avait décidé d'envoyer dans les Espagnes des tribuns armés des pleins pouvoirs pour rechercher les hérétiques, les arrêter et leur enlever la vie et les biens... [2].

Maxime cependant, bien que trop enclin à complaire aux évêques, n'ignorait pas que Martin l'emportait sur tous les mortels par sa foi, sa sainteté, sa vertu. Il se prépare à vaincre le saint par une autre voie. Tout d'abord, il le mande en secret, il s'adresse à lui en termes caressants. Les hérétiques, disait-il, avaient été condamnés régulièrement, selon la procédure des affaires criminelles, et non à l'incitation des évêques ; il n'y avait pas de raison de condamner la communion avec Ithace et ceux de

à Trèves qu'il promettra d'entrer en communion avec eux. Lui ne s'engage qu'à venir *cum pace Christi*, mais il pénètre en ville. Durant deux jours, Maxime esquive la rencontre avec lui.

nandam; Theognitum odio potius quam causa fecisse disci-
dium, eundemque tamen solum esse qui se a communione
interim separarit ; a reliquis nihil nouatum. Quin etiam
ante paucos dies habita synodus Ithacium pronuntiauerat
culpa non teneri. Quibus cum Martinus parum moueretur,
rex ira accenditur ac se de conspectu eius abripuit. Mox
percussores his pro quibus Martinus rogauerat diriguntur.
   Quod ubi Martino compertum, iam noctis tempore
palatium inrupit. Spondet, si parceretur, se communi-
caturum, modo uti et tribuni iam ad excidium ecclesiarum
ad Hispanias missi retraherentur. Nec mora, Maximus
indulget omnia. Postridie Felicis episcopi ordinatio para-
batur, sanctissimi sane uiri et uere digni qui meliore tempore sacerdos fieret. Huius diei communionem Martinus
iniit, satius aestimans ad horam cedere quam his non
consulere quorum ceruicibus gladius imminebat. Verum-
tamen summe episcopis nitentibus ut communionem
illam subscriptione firmaret, extorqueri non potuit. Pos-
tero die se inde proripiens, cum reuerteretur in uiam et
maestus ingemisceret se uel ad horam noxiae communioni
fuisse permixtum, haut longe a uico, cui nomen est Andethanna, qua uasta solitudine siluarum secreta † patiuntur †, praegressis paululum comitibus, ille subsedit, causam doloris ac facti accusante ac defendente inuicem
cogitatione peruoluens...
   Itaque ab illo tempore satis cauit cum illa Ithacianae
partis communione misceri... Sedecim postea uixit annos ;

___

   1. Évêque nommé plus haut par Sulpice Sévère ; le seul qui
s'était opposé à ses collègues après la condamnation de Priscillien.
   2. *Rex* : cf. *supra*, p. 118, n. 1.
   3. Successeur de Britto au siège de Trèves. On parlera ensuite
des évêques « féliciens » ou « antiféliciens ».
   4. *Andethannale vicus* sur la route de Reims, aujourd'hui Nie-
der-Auwen : cf. K. MILLER, *Itineraria romana*, Stuttgart 1916,
p. 79.

son parti ; si Theognitus [1] s'était séparé deux, c'était par
animosité, et non pour un bon motif ; d'ailleurs celui-ci
était le seul à s'être mis, provisoirement, à l'écart de la
communion ; les autres n'avaient rien innové. Bien plus,
un concile tenu quelques jours auparavant avait déclaré
qu'Ithace n'était pas coupable. Ces propos n'ayant guère
ému Martin, l'empereur [2] fut transporté de colère et se
retira brusquement de sa vue. Bientôt des exécuteurs
sont dépêchés contre ceux en faveur desquels Martin
avait plaidé.

Dès qu'il en fut informé, Martin se précipita au palais,
malgré la nuit venue. Il promet, si l'on fait grâce, d'entrer
en communion, pourvu qu'aussi les tribuns déjà envoyés
vers les Espagnes pour y ruiner les églises soient rappelés.
Sans délai Maxime accorde tout. Le lendemain devait
avoir lieu l'ordination de Félix [3], un homme assurément
très saint et bien digne d'être fait évêque en des temps
meilleurs. En cette circonstance, Martin entra en communion (avec les évêques), estimant préférable de céder
pour une heure plutôt que de pas secourir des gens sur
la tête de qui le glaive était suspendu. Toutefois, malgré
les efforts pressants des évêques pour lui faire confirmer
cette communion par sa signature, on ne put la lui arracher. Le lendemain, il se hâta de sortir de la ville. Sur le
chemin du retour, il était rempli de tristesse et gémissait
de s'être mêlé, même pour une heure, à une communion
condamnable. Non loin du bourg nommé Andethanna [4],
là où s'étendent [5] de vastes solitudes écartées et boisées,
ses compagnons l'ayant un peu devancé, lui s'arrêta,
méditant les raisons de son geste douloureux, que son
esprit blâmait et excusait tour à tour... [6]

Désormais il évita donc soigneusement de se mêler à la

---

5. La traduction suppose *patent* ou *patescunt* à la place de la
leçon corrompue *patiuntur*.

6. « Soudain apparut près de lui un ange : Martin, dit l'ange, tu
as raison d'avoir des regrets ; mais tu ne pouvais autrement sortir de
là. Reprends courage, reviens à ta fermeté ordinaire ; sans quoi
tu mettrais en péril, nons plus ta gloire, mais ton salut » (trad.
MONCEAUX).

nullam synodum adiit, ab omnibus episcoporum conuen-
tibus se remouit.

(Sulpicii Seueri *Dialogus* II [III], 11, 2-5 ; 12, 2 - 13, 6,
CSEL 1, 208-211.)

1. « Dans la suite, s'il mettait plus de temps qu'autrefois à guérir
certains énergumènes, si la grâce divine semblait moindre en lui,
il nous déclarait souvent, avec des larmes, que depuis cette mal-
heureuse communion de Trèves, acceptée par lui un seul instant
par nécessité, non en esprit, il sentait en lui une diminution de sa
puissance » (*ibid.*).

communion du parti d'Ithace... [1]. Il vécut encore seize
ans [2] ; il se tint à l'écart de toute réunion épiscopale.

2. En réalité, onze ans seulement se sont écoulés entre le séjour
de Martin à Trèves et sa mort, advenue le 11 novembre 397. On a
proposé de voir ici une erreur de copiste, mais devant l'unanimité
des mss « il faut bien se résoudre à mettre la distraction au compte
de Sulpice lui-même » (H. DELEHAYE, « Saint Martin et Sulpice
Sévère », *Analecta Bollandiana* 38 [1920], p. 5-136, ici p. 33).

124

CONCILE DE NÎMES
(1er octobre 396)

Les conflits suscités par l'affaire priscillianiste se pour-
suivirent en Gaule pendant les dernières années du
IVe siècle. L'épiscopat était séparé entre féliciens (les
évêques qui suivaient Félix, nouvel évêque de Trèves,
qu'avait soutenu Ithace) et antiféliciens, en communion
avec Rome et Milan. Ces derniers étaient minoritaires,
mais comptaient dans leurs rangs Martin de Tours et
Proculus de Marseille. Ils incitèrent Ambroise à réunir
un concile à Milan (390) pour régler les problèmes de
l'épiscopat gaulois. Mais cette tentative ne réussit pas à
pacifier les esprits. Des difficultés supplémentaires furent
soulevées par les ambitions des évêques d'Aix et d'Arles
en conflit avec ceux de Marseille et de Vienne. Cette situation rendit nécessaire la convocation d'un concile gaulois
qui se réunit à Nîmes le 1er octobre 396 [1].

Le concile rassembla vingt et un évêques, tous féliciens,
semble-t-il. L'absence des adversaires ne permit de régler
ni les conflits doctrinaux, ni les oppositions de personnes.
Mais sept canons disciplinaires furent promulgués [2].

TRANSMISSION : Les canons conciliaires ne sont conservés
que par la collection du ms. de Cologne (K). Le texte est
fort corrompu et la traduction doit recourir à plusieurs
conjectures.

1. Sur cette date, cf. DUCHESNE, *Fastes*, I, p. 366 ; PALANQUE,
« Date du transfert », p. 362, n. 9. H. LECLERCQ (HEFELE-LECLERCQ,
II¹, p. 91, n. 2) retenait au contraire la date de 394, en arguant de
ce que le consulat des deux empereurs n'indiquait pas *iterum*.
2. Sur la situation des églises de Gaule à la fin du IVe siècle, cf.
PALANQUE, « Dissensions » ; et sur le concile de Nîmes, HEFELE-
LECLERCQ, II¹, p. 91-97 ; PALANQUE, *De la paix constantinienne...*,
p. 468-470 ; GRIFFE, I, p. 345-346.

La première édition de ces canons donnée par Ignace Roderic en 1743 passa à peu près inaperçue, et pendant longtemps
on ne signala à propos de ce concile que la brève mention de
Sulpice Sévère (*Dial.* I, 13, 8 ; *CSEL* 1, p. 196) ; cf. H. Leclercq (HEFELE-LECLERCQ, II¹, p. 91, n. 2).

ÉDITIONS : RODERIC (dans *Correspondance des Savants*,
t. I, Cologne 1743) ; HEFELE-LECLERCQ, II¹, p. 92-97.
MUNIER, p. 49-51.

CONCILIVM NEMAVSENSE
396. Oct. 1.

INCIPIT SANCTA SYNODVS QVAE CONVENIT
IN CIVITATEM NEMAVSENSEM KAL. OCTOBRIS
DOMINIS ARCHADIO ET HONORIO AVG(VSTIS)
CONS(V)L(IBVS)

Episcopis per Gallias et Septem Prouincias salutem.

Cum ad Nemausensem ecclesiam ad tollenda ecclesiarum scandala discessionemque sedandam pacis stodio
uenissemus, multa utilitati congrua secundum regulam
disciplinae placuit prouideri.

1. In primis, quia multi, de ultimis Orientis partibus
uenientis, presbyteros et diaconos se esse confingunt,
ignotarum suscriptione apostholia ignorantibus ingerentes,
quidam spem infidelium sumptum stepemque captan-
tur, sanctorum communioni speciae simulatae religionis
inpraemunt : placuit nobis, si qui fuerint eiusmodi, si
tamen communes ecclesiae causa non fuerit, ad ministerium altarii non admittantur.

2. Illud aetiam a quibusdam suggestum est ut, contra
apostholicam disciplinam, incognito usque in hoc tem-

---

1. Arcadius et Honorius ont été nommés consuls en commun en
394, 396 et 402. On sait par ailleurs (SULPICE SÉVÈRE, *Dial.* II, 15)
que s. Martin vivait encore au moment du concile de Nîmes. Or,
il mourut en 397, ce qui élimine l'année 402.

2. Sur les Sept Provinces, cf. *supra*, p. 102, n. 2.

3. Il s'agit toujours des « manichéens », terme générique qui
englobait les priscillianistes (cf. *supra*, p. 113). En juin 389, Théodose avait frappé d'exil tous ceux qui se présentaient *sub nomine
Manichaeorum* (*C. Th.* 16, 5, 18).

4. *Apost(h)olia* (cf. c. 6) : BLAISE ne cite pas d'exemple de ce mot
antérieur au IIe concile d'Orléans (533) ; cf. HEFELE-LECLERCQ,
II[2], p. 1134, n. 9.

CONCILE DE NÎMES
1er octobre 396

ICI COMMENCE LE SAINT CONCILE
RÉUNI EN LA CITÉ DE NÎMES,
AUX CALENDES D'OCTOBRE,
NOS SEIGNEURS ARCADIUS ET HONORIUS,
AUGUSTES, ÉTANT CONSULS[1]

Aux évêques des Gaules et des Sept Provinces[2], salut.

Nous étant réunis à l'église de Nîmes dans un désir de paix, pour mettre un terme aux scandales et apaiser les dissensions, nous avons décidé de prendre, conformément à la règle de la discipline, nombre de mesures convenables et utiles.

1. En premier lieu, considérant que beaucoup d'individus venus des coins les plus reculés de l'Orient[3] se font passer pour prêtres et pour diacres, en produisant à des personnes ignorantes des lettres de communion[4] souscrites par des inconnus[5], et qu'en captant secours et aumônes des fidèles[6] ils sont à charge à la communion des saints sous les dehors d'une religion simulée, nous avons décidé que, s'il s'en trouve de tels et que par ailleurs l'intérêt général de l'Église n'est pas en cause, ils ne soient pas admis au ministère de l'autel[7].

2. Également, il a été signalé par certains que, contrairement à la discipline apostolique — chose inouïe jusqu'à

5. Sur les lettres de communion, cf. *supra*, concile d'Arles, c. 7 et 10, p. 49, n. 7 et 51, n. 6. — Sur ceux à qui il appartient de les délivrer, cf. concile d'Antioche de 341, c. 7 et 8 ; concile de Laodicée, c. 41 ; *Canons apostoliques*, c. 12 (13) et 32 (34) ; concile d'Elvire, c. 58.

6. Passage gravement corrompu. La traduction suppose : « qui dum [...] fidelium sumptum stipemque captant ». Le sens de la fin de la phrase n'est pas non plus très sûr.

7. *Ministerium altarii* : expression qui désigne l'office des clercs à partir du diaconat.

pus, in ministerium faeminae, nescio quo loco, leuiticum
uideantur adsumptae ; quod quidem, quia indicens est,
non admittit ecclesiastica disciplina, et contra rationem
facta talis ordinatio distruatur : prouidendum ne quis
sibi hoc ultra praesumat.

3. Illud aetiam repetiri secundum canonem placuit, ut
nullus episcopus siue clericum siue laicum a suo episcopo
iudicatum in communionem admittat inlicitam.

4. Neque sibi alter episcopus de clerico alterius, incon-
sulto episcopo cuius minister est, iudicium uindecit.

5. Additum aetiam est ut, quia multi sub specie pere-
grinationis de ecclesiarum conlatione luxoriant, uictura
non omnibus detur, unusquisque uoluntarium habeat,
non indictum, de hac praestatione iudicium.

6. Ministrorum autem quicumque peregrina quibuscumque necessitatibus petunt, ab episcopis tantum apostolia suscribantur.

7. Addi aetiam placuit ut, quia frequenter ecclesiis de
libertorum tuitione inferuntur iniuriae, siue qui a uiuentibus manumittuntur, siue quibus libertas ultima testa-
tione conscribetur, placuit synodo ut si fidilis persona
contra fidem et contra defunctorum uoluntate uenire
temptauerit, communicantes, qui contra ecclesia ueniunt,
extra ecclesiam fiant ; cathechuminis uero, nisi inreligio-
sitate pietatem mutauerint, gratia considerata secundum
Deum per inspectionem tradatur.

---

1. D'autres dispositions conciliaires s'inspirent de la doctrine
paulinienne (*I Cor.* 11, 3 et 14, 34), sans faire état d'« ordination »
de femmes, avaient déjà rappelé que celles-ci devaient être tenues
à l'écart de l'autel. On les retrouve par exemple dans le concile de
Laodicée, c. 44, les *Statuta ecclesiae antiqua*, c. 37, 39 et 41 et les
Constitutions apostoliques III, 9.
2. Cf. concile d'Arles de 314, c. 17 (16) ; de Nicée de 325, c. 5 ;
de Sardique, c. 13 [lat. 16] ; de Carthage de 390, c. 7 ; *Canons apostoliques*, c. 32 (34).
3. Cette disposition s'insère dans l'ensemble des textes conci-

présent —, on voyait, je ne sais où, des femmes élevées au ministère des diacres ; cela, la discipline ecclésiastique ne l'admet pas, car c'est inconvenant ; que pareille ordination, irrégulière, soit annulée ; et que l'on veille à ce que personne à l'avenir n'ait l'audace d'agir ainsi [1].

3. Également, il a été décidé de réitérer la disposition canonique qui interdit à tout évêque de recevoir à une communion illicite un clerc ou un laïc condamné par son propre évêque [2].

4. Et qu'aucun évêque ne s'arroge le droit de juger le clerc d'un autre évêque sans l'assentiment de ce dernier [3].

5. Il a été décidé de plus, vu que beaucoup de gens, sous prétexte de voyages, s'engraissent des offrandes des églises, qu'on ne donne pas de quoi vivre à tous ; que chacun décide librement de sa contribution, sans rien d'imposé.

6. Si des ministres de l'autel entreprennent des voyages pour quelque motif que ce soit, leurs lettres de recommandation doivent être souscrites uniquement par leur évêque [4].

7. Il a été décidé également d'ajouter ceci : étant donné que les églises ont souvent à souffrir de procédés injustes lorsqu'elles veulent protéger les affranchis — soit que ceux-ci aient été affranchis entre vifs, soit qu'ils aient obtenu la liberté par une disposition de dernière volonté —, le concile a décidé que, lorsqu'un fidèle osera aller à l'encontre de la foi donnée ou de la volonté des défunts : si cet opposant à l'Église est de la communauté, il sera exclu de l'Église ; s'il est catéchumène, on lui accordera — à moins qu'il ne devienne, de pieux, impie — la grâce (du baptême), mais avec discernement selon Dieu et après examen [5].

liaires qui s'efforcent de faire triompher la notion d'une compétence territoriale des évêques ; cf. concile d'Arles de 314, c. 17 et c. 26 (attribué au concile).

4. Sur ces lettres (*apostolia* : cf. c. 1) et sur cette réglementation, cf. *supra*, p. 126, n. 4 et 5.

5. L'attitude de l'Église à l'égard des esclaves et des affranchis reste nuancée. Sans aucun doute, elle affirme la dignité de la

Ego Aprunculus subscripsi.

Ego Vrsus subscripsi.

Ego Geniales pro me et pro fratre Syagrio subscripsi.

Ego Alitius pro me et pro fratre Apro subscripsi.

Ego Felix subscripsi.

Ego Solinus subscripsi.

Ego Eusebius subscripsi.

Ego Aratus subscripsi.

Ego Adelfus subscripsi.

Ego Adelfus subscripsi.

Ego Octauius subscripsi.

Ego Vrbanus subscripsi.

Ego Remigius subscripsi.

Ego Nicesius subscripsi.

Ego Melanius subscripsi.

Ego Epetemius subscripsi.

Ego Euantius subscripsi.

Ego Treferius subscripsi.

Ego Modestus subscripsi.

Ego Ingenuus subscripsi.

Expl. episcopi numero XXI.

---

personne humaine, elle s'efforce de protéger l'esclave contre les
excès de la puissance du maître et se montre favorable aux
affranchissements. Mais elle ne condamne pas formellement l'es-
clavage, sur lequel repose pour bonne part l'économie antique (sur
cette position, cf. J. GAUDEMET, *L'Église dans l'Empire romain*,
p. 564-567). C'est à la sauvegarde de la liberté acquise par
l'affranchissement (et en même temps au respect de la parole
donnée ou des dernières volontés d'un défunt) qu'est consacré ce
canon.

1. Peut-être évêque d'Auch, deuxième prédécesseur d'Orientius
(connu vers 439), si l'on peut se fier à l'ancien catalogue épiscopal :
cf. DUCHESNE, *Fastes*, II, p. 92.

2. Sans doute le même que Ursio cité dans les actes du concile de
Turin (cf. *infra*, p. 140).

3. Évêque de Cavaillon (cf. DUCHESNE, *Fastes*, I, p. 270).

4. Un Adelphus fut évêque de Metz, probablement vers la fin
du IVe siècle (cf. DUCHESNE, *Fastes*, III, p. 54).

Moi, Aprunculus, j'ai souscrit [1].
Moi, Ursus, j'ai souscrit [2].
Moi, Geniales [3], j'ai souscrit pour moi et pour mon frère Syagrius.
Moi, Alitius, j'ai souscrit pour moi et pour mon frère Aper.
Moi, Félix, j'ai souscrit.
Moi, Solinus, j'ai souscrit.
Moi, Eusebius, j'ai souscrit.
Moi, Aratus, j'ai souscrit.
Moi, Adelfus, j'ai souscrit [4].
Moi, Adelfus, j'ai souscrit [5].
Moi, Octavius, j'ai souscrit [6].
Moi, Urbanus, j'ai souscrit [7].
Moi, Remigius, j'ai souscrit [8].
Moi, Nicesius, j'ai souscrit.
Moi, Melanius, j'ai souscrit [9].
Moi, Epetemius, j'ai souscrit [10].
Moi, Evantius, j'ai souscrit.
Moi, Treferius, j'ai souscrit [11].
Moi, Modestus, j'ai souscrit.
Moi, Ingenuus, j'ai souscrit [12].

Ici s'achève la liste des vingt et un évêques.

5. Redite évidente, sinon la liste compterait 22 évêques.

6. Un évêque Octavius est cité par le c. 3 du concile de Turin, mais on ignore son siège.

7. Un Urbanus fut évêque de Langres, probablement vers la fin du ive siècle (DUCHESNE, *Fastes*, II, p. 186).

8. L. DUCHESNE (*Fastes*, I, p. 288) propose de voir en Remigius un évêque d'Antibes ; J.-R. PALANQUE suggère le siège de Gap (« Dissensions », p. 487, n. 39). Comme il sera indiqué ci-dessous, p. 140, n. 2, les arguments les plus forts invitent à reconnaître en lui un évêque d'Aix.

9. Un Melanius fut évêque de Troyes vers la fin du ive siècle (DUCHESNE, *Fastes*, II, p. 453).

10. Il est fort possible qu'il s'agisse d'Apodemius, évêque d'Angers (*ibid.*, p. 356-357).

11. L'évêque Triferius est cité au c. 3 du concile de Turin, mais on ignore son siège (peut-être Aix ; cf. *infra*, p. 140 et n. 2).

12. Évêque d'Arles (DUCHESNE, *Fastes*, I, p. 255).

CONCILE DE TURIN [1]
(22 septembre 398 [2])

Le concile fut convoqué par le successeur d'Ambroise sur le siège de Milan, l'évêque Simplicianus, à la demande de l'épiscopat gaulois. Il réunit des évêques féliciens et antiféliciens [3]. Les conseils d'apaisement donnés par Milan et par Rome furent entendus et le concile put régler les querelles qui opposaient les églises de Gaule. L'évêque de Trèves, Félix, abandonna l'épiscopat, ce qui mit un terme au débat félicien. De même furent réglés les conflits entre Proculus de Marseille et ses suffragants, entre Simplicius de Vienne et Ingenuus d'Arles, entre les martiniens de Tours et l'évêque Brice.

DATATION : Le concile de Turin a fait l'objet de nombreux travaux et soulevé de longues polémiques, portant à la fois sur sa date et sur sa signification dans l'histoire de l'organisation ecclésiastique.

Mgr DUCHESNE, qui fixe le concile « vers 400 », l'étudia dans le cadre de « La primatie d'Arles », *MSAF* 52 (1891-1892), p. 155-238 ; ce travail est devenu le chap. II des *Fastes* (I, p. 86-146). L'objet central de cette étude est la décision du pape Zosime attribuant à l'évêque d'Arles, Patrocle, la primatie sur la Viennoise et les deux Narbonnaises, ceci en 417, une vingtaine d'années après le concile de Turin

---

1. Bien que réuni au-delà des Alpes, le concile de Turin doit être rattaché aux conciles gaulois car il a été provoqué par la situation des églises de la Gaule.
2. 22 septembre 398 plutôt que 417. Sur ce problème, voir ci-après : Datation.
3. La liste des participants ne s'est pas conservée. Deux mss de l'*Hispana* font état de 70 ou de 80 évêques (cf. BRUNS, II, p. 113, n. 9). Mais rien ne confirme ces chiffres, manifestement excessifs.

(mentionné dans les Décrétales de 417). — Une présentation entièrement nouvelle des faits fut donné par E.-Ch. Babut, *Concile de Turin*, en 1904. Il y aurait eu en réalité deux conciles de Turin, l'un vers 405, dont on ne sait presque rien, l'autre le 22 septembre 417, où le métropolitain de Milan et ses collègues seraient intervenus, à la demande des évêques gaulois, pour casser le décret qui venait d'attribuer la primatie à l'évêque d'Arles : ce concile de 417 aurait été la première manifestation du « gallicanisme ». L'ouvrage de Babut, aussitôt très discuté, fut complété par son article : « La date du concile de Turin et le développement de l'autorité pontificale au ve siècle », dans la *Revue historique* 87 (1905), p. 57-82. — Mgr Duchesne montra la même année, dans la même revue (« Le concile de Turin », p. 278-302), pourquoi ce système lui paraissait totalement faux (la chronologie est impossible et la situation absolument invraisemblable). — On trouve l'exposé de toute cette première phase du débat dans Hefele-Leclercq, II^1, p. 129-132 (note de H. Leclercq).

J.-R. Palanque (dans « Dissensions ») a repris la question et fixé la date du concile au 22 septembre 398 ; cette date est en partie liée à celle du transfert de la préfecture des Gaules à Arles, située par J.-R. Palanque vers l'an 395 (« Date du transfert »). Ces conclusions sont adoptées par É. Griffe, I, p. 336-340, et par l'ensemble des auteurs.

Récemment, A. Chastagnol (dans « Le repli sur Arles ») est revenu, en fonction de la date de 407 qu'il assigne au transfert, à celle de 417 pour le concile de Turin. — J.-R. Palanque lui a répondu en maintenant ses conclusions antérieures : « Du nouveau sur la date du transfert ». De même É. Griffe : « La date du concile de Turin (398 ou 417) », *BLE* 74 (1973), p. 289-295, qui montre la solidité des arguments de Mgr Duchesne.

Transmission : Les canons du concile sont conservés par plusieurs des anciennes collections qui ont recueilli les canons disciplinaires gaulois du ive s.

Ly   Coll. du ms. de Lyon
K   Coll. du ms. de Cologne

T   Coll. du ms. d'Albi
R   Coll. du ms. de Reims
Sp   *Hispana*
       (*L'Epitome hispanica* [MARTÍNEZ-DÍEZ, p. 183] ne con-
       cerne qu'une brève disposition extraite du c. 2)
D   Coll. du ms. de Diessen
A   Coll. du ms. de Saint-Amand

ÉDITIONS : CRABBE, p. 259 ; SURIUS, p. 516 ; SIRMOND,
p. 27 ; LABBE, c. 1155-1158, 1810-1811 ; MANSI, III, c. 859 ;
GONZÁLEZ, *PL* 84, c. 247-250 ; BRUNS, II, p. 113-116 ; BABUT,
Concile de Turin, p. 223-231.
       MUNIER, p. 52-60.

NUMÉROTATION DES CANONS : Les plus anciennes collections, celles de Lyon, Cologne, Diessen, Albi, n'introduisent
aucune division en canons. Celles de Saint-Amand et de
Reims ont une division en huit canons qu'annonce une
capitulatio, résumant l'objet de chacun d'eux. L'*Hispana*,
groupant les c. 1 et 2 de cette *capitulatio*, aboutit à une série
de sept canons. Nous conservons ici la division en huit
canons, adoptée par SIRMOND et retenue par les éditeurs
modernes (cf. BRUNS, BABUT, MUNIER).

CONCILIVM TAVRINENSE
398. Sept. 22.

SANCTA SYNODVS QVAE CONVENIT IN VRBE
TAVRINATIVM DIE DECIMO KALENDAS
OCTOBRIS, FRATRIBVS DILECTISSIMIS
PER GALLIAS
ET QVINQVE PROVINCIAS CONSTITVTIS

Cum ad postulationem prouinciarum Galliae sacerdotum conuenissemus ad Taurinatium ciuitatem atque
in eiusdem urbis ecclesia, auctore uel medio Domino,
sederemus, auditis allegationibus episcoporum eorum
uidelicet qui ad iudicium nostrum fuerant congregati, de
singulis negotiis haec sententiae forma processit, ita ut
pacis bonum et instituta canonum seruarentur et plurimorum intentionibus adhiberetur utilis medicina.

1. Nam cum primo omnium uir sanctus Proculus Mas-
siliensis episcopus ciuitatis se tanquam metropolitanum
ecclesiis quae in secunda prouincia Narbonensi positae
uidebantur diceret praesse debere, atque per se ordinationes in memorata prouincia summorum fieri sacerdotum, siquidem assereret easdem ecclesias uel suas parrocias fuisse, uel episcopos a se in iisdem ecclesiis ordinatos ;
e diuerso eiusdem regionis episcopi aliud defensarent, ac

1. 22 septembre. — Sur l'année, omise, cf. *supra*, p. 133 : Datation.
2. Sur les Cinq Provinces, cf. *supra*, p. 102, n. 2.
3. *Ordinationes* : pour désigner la consécration épiscopale ; cf.
supra, p. 56, n. 2.
4. *Summi sacerdotes* : l'adjectif, insistant, lève l'équivoque qui
peut s'attacher au terme *sacerdos* ; cf. concile de Riez de 439, c. 6.
L'expression *summus sacerdos* a d'ailleurs été bannie par les canons
africains de l'époque (concile de Carthage de 397, c. 25 : MUNIER,
Conc. Afr., p. 40 ; etc.).

CONCILE DE TURIN
22 septembre 398

LE SAINT CONCILE RÉUNI EN LA VILLE
DE TURIN LE 10 DES CALENDES D'OCTOBRE [1],
A NOS TRÈS CHERS FRÈRES ÉTABLIS
DANS LES GAULES ET LES CINQ PROVINCES [2]

Nous étant assemblés en la cité de Turin à la demande
des évêques des provinces de Gaule et siégeant en l'église
de cette ville par l'autorité et en présence du Seigneur,
nous avons écouté les allégations des évêques qui s'étaient
réunis pour se soumettre à notre jugement. Sur chacune
des affaires notre sentence a été rendue comme suit, de
façon à sauvegarder le bien de la paix et les règles canoniques tout en apportant un remède salutaire aux prétentions de bien des gens.

1. En tout premier lieu : attendu que le saint évêque
de la cité de Marseille, Proculus, déclarait qu'il devait
présider à titre de métropolitain aux églises situées en
Narbonnaise Seconde et procéder personnellement dans
cette province aux ordinations [3] des évêques [4], car il
affirmait que ces églises ou bien ont été ses paroisses [5],
ou bien ont eu des évêques ordonnés par lui, attendu
d'autre part que les évêques de la même région faisaient
valoir un point de vue différent et protestaient qu'un

---

5. *Parrochia* désigne au IVe siècle un territoire ecclésiastique,
le plus souvent celui qui relève d'un évêque (notre actuel diocèse) ;
cf., p. ex., concile de Nicée, c. 16, concile d'Antioche de 341, c. 9,
Canons apostoliques, c. 13 (14) et 14 (15). Les « paroisses », au sens
moderne du terme, n'existent encore à peu près pas à cette époque
(cf. GRIFFE, I, p. 403-414 : Les premières « paroisses » de la Gaule).
Sur cette terminologie, cf. J. GAUDEMET, *L'Église dans l'Empire
romain*, p. 323 et 376. Il s'agit ici d'églises de cités ou de *pagi*, peut-
être évangélisés et organisés par Marseille et dont certains devinrent
peu à peu évêchés.

sibi alterius prouinciae sacerdotem praeesse non debere
contenderent : id iudicatum est a sancta synodo contem-
platione pacis et concordiae, ut non tam ciuitati eius quae
in altera prouincia sita est, cuius magnitudinem penitus
nesciremus, quam ipsi potissimum deferretur, ut tanquam
pater filiis honore primatus assisteret.

Dignum enim uisum est ut, quamuis unitate prouinciae minime tenerentur, constringerentur tamen pietatis
affectu. Haec igitur ipsi tantum in die uitae eius forma
seruabitur ut in ecclesiis prouinciae secundae Narbonen-
sis quas uel suas parrocias uel suos discipulos fuisse constiterit ordinatos, primatus habeat dignitatem.

Illud a partibus obseruandum quod licet ex superfluo
non tamen inutiliter commonetur, ut ipse sanctus Proculus tanquam pius pater consacerdotes suos honoret ut
filios, et memoratae prouinciae sacerdotes tanquam boni
filii eundem habeant ut parentem, et inuicem sibi exhi-
beant caritatis affectum, impleto hoc quod ait beatus
Apostolus : « Honore mutuo praeuenientes, non alta
sapientes, sed humilibus consentientes [a] ».

2. Illud deinde inter episcopos urbium Arelatensis et
Viennensis qui de primatus apud nos honore certabant,
a sancto synodo definitum est ut qui ex his approbauerit
suam ciuitatem esse metropolim, is totius prouinciae
honorem primatus obtineat, et ipse iuxta canonum praeceptum ordinationum habeat potestatem.

a. Rom. 12, 10.16

1. *Metropolis* : le terme désigne ici un chef-lieu administratif
(ce qui justifierait la prétention à la primauté ecclésiastique).
Vienne avait été le chef-lieu de la province de Viennoise. A quelle
date avait eu lieu ce transfert ? On a vu plus haut, p. 133, que la
réponse à cette question intéresse la date assignée au concile de
Turin lui-même. On peut en effet expliquer les rivalités ecclésiastiques entre Vienne et Arles par l'importante promotion administrative de cette dernière ville. Rappelons que les tenants de la date
de 398 pour le concile de Turin fixent le transfert vers 395 (PA-

évêque appartenant à une autre province ne doit pas
avoir autorité sur eux, le saint concile, en vue de la paix
et de la concorde, a jugé comme suit : ce n'est pas à sa
cité, située dans une autre province, dont nous ignorons
complètement l'étendue, mais bien à sa personne que l'on
rendra hommage, de telle sorte qu'il assiste ses fils comme
étant leur père, avec les honneurs de la primauté.

Il a paru digne en effet que ceux-ci, tout en n'étant pas
unis par l'appartenance à une même province, se trouvent
néanmoins liés par la piété filiale. On observera donc à
son égard, et seulement sa vie durant, cette règle que,
dans les églises de la province de Narbonnaise Seconde
dont il sera établi ou bien qu'elles ont été ses paroisses,
ou bien que de ses disciples y ont été ordonnés, il ait la
dignité de primat.

Les parties devront observer la recommandation suivante, superflue sans doute, mais non inutile pour autant :
que le saint (évêque) Proculus, en père affectueux, honore
comme des fils ses collègues dans l'épiscopat, que les
évêques de ladite province, en bons fils, le regardent
comme leur père et qu'ils se témoignent les uns aux autres
des sentiments de charité, accomplissant ce que dit le
bienheureux Apôtre : « Se prévenant d'égards mutuels,
ne se complaisant pas dans les grandeurs, mais se laissant attirer par ce qui est humble [a] ».

2. Ensuite, entre les évêques des villes d'Arles et de
Vienne qui se disputaient devant nous la dignité de primat, le saint concile a décidé que celui d'entre eux qui
prouvera que sa cité est métropole [1] possède la dignité
de primat de la province tout entière et qu'il ait, conformément aux prescriptions canoniques, le pouvoir de
procéder aux ordinations [2].

LANQUE, « Dissensions », « Date du transfert » et « Du nouveau sur le
transfert »), et que c'est en fonction des événements de 406-407, qui
auraient provoqué ce transfert, que la date de 417 a de nouveau
été proposée pour le concile (CHASTAGNOL, « Repli sur Arles »).

2. *Ordinationes* doit ici, comme au § 1, s'entendre des consécra-
tions épiscopales : cf. *supra*, p. 56, n. 2.

Certe ad pacis uinculum conseruandum hoc consilio utiliore decretum est ut, si placet memoratarum urbium episcopis, unaquaeque de his uiciniores sibi intra prouinciam uindicet ciuitates, atque eas ecclesias uisitet quas oppidis suis proximas magis esse constiterit, ita ut memores unanimitatis atque concordiae, non alter alterum longius sibi usurpando quod est alii proprium inquietet.

3. Gestorum quoque seriem conscribi placuit ad perpetem disciplinam quod circa Octauium, Vrsionem, Remigium atque Triferium episcopos synodus sancta decreuit, qui in usurpatione quadam de ordinatione sacerdotum <in> inuidiam uocabantur, quod eatenus his uidetur indultum, ut de cetero hac auctoritate commoniti, nihil tale usurpare conentur, siquidem ea se ab hac causa excusatione defenderint qua dicerent prius se non esse conuentos.

1. Les c. 1 et 2 ont pour objet de régler les difficultés qui s'élevaient à la fin du IVᵉ siècle entre divers sièges de la province (civile) de Viennoise. Celle-ci s'étendait entre le Rhône et les Alpes, de Marseille au nord de Vienne. La Narbonnaise Seconde, citée au c. 1, groupait 7 cités de Fréjus à Gap, détachées entre 369 et 381. Située à l'est de la Viennoise, elle avait pour chef-lieu Aix. Mais Marseille en était proche, et l'autorité de ce siège, l'un des plus anciens de la Gaule du Sud, était grande. Les prétentions de Proculus à consacrer les évêques de certaines cités se fondaient donc sur le voisinage. Ses adversaires défendaient au contraire le cadre provincial (entendu encore dans son acception romaine) et limitaient la compétence d'un prélat aux frontières de sa province. La solution transactionnelle adoptée par le c. 1 satisfait Proculus, à qui elle confère un privilège strictement personnel, mais respecte le principe de la compétence territoriale. — Quant au c. 2, il s'efforce de régler à l'intérieur de la province (civile) de Viennoise le conflit pour la primauté qui opposait Arles à Vienne. Il le fait : 1) en renvoyant à la preuve que doit faire l'un des deux évêques de la qualité de « métropole » de sa cité ; 2) en assouplissant le principe de la primauté de l'un des deux sièges par la faculté donnée aux deux prélats de se partager l'exercice de l'autorité à l'intérieur de la province, faisant ici encore prévaloir la notion de proximité. — Ces textes prouvent la volonté d'instaurer des provinces ecclésiastiques, la nouveauté de ce cadre et les difficultés que soulève sa mise en place. Sur ces situations, cf. PALANQUE, « Dissensions », p. 486-490.
2. Ces quatre évêques ont souscrit au concile de Nîmes d'octobre

Cependant, en vue de conserver le lien de la paix, il a
été décidé, par une résolution plus opportune, que si cela
agrée aux évêques desdites villes, chacun s'attribue dans
la province les cités les plus proches et qu'il visite les
églises qui paraîtront les plus voisines de sa ville, de telle
façon que, gardant en mémoire l'unité et la concorde,
l'un ne gêne pas l'autre plus longtemps en empiétant à
son profit sur ce qui appartient à l'autre [1].

3. Il a été convenu aussi de consigner par écrit, pour
que cela serve de règle disciplinaire perpétuelle, le texte
des actes relatifs à ce que le saint concile a décidé touchant les évêques Octavius, Ursio, Remigius et Triferius [2], objets d'une plainte pour avoir procédé abusive-
ment à l'ordination d'évêques [3]. On considère pour cette
fois que cela leur est concédé, étant entendu qu'à l'avenir,
dûment avertis par cette décision, ils ne tentent plus de
commettre pareil abus. Ils ont, en effet, fait valoir pour
leur excuse dans cette affaire qu'ils n'avaient pas fait
préalablement l'objet d'une citation.

---

[^396] : Ursio paraît en effet s'identifier avec Ursus, cité à Nîmes au
second rang. Cf. *supra*, p. 130, et n. 2, p. 131, et n. 6, 8, 11. — Le nom le
plus intéressant est celui de Remigius, qui se retrouve non seulement à Nîmes, mais dans trois autres documents contemporains,
étudiés par Babut, *Concile de Turin*, p. 235-242 (App. II : Remigius évêque d'Aix), et à nouveau par Griffe, II, p. 252-255 : Les
évêques d'Aix. Ces deux auteurs reconnaissent avec de bonnes raisons en Remigius un évêque d'Aix. « Ce qui a empêché Mgr Duchesne
d'en faire un évêque d'Aix, c'est que l'épiscopat de Lazare s'insère
dans cette période, de l'année 408 à l'année 411. Or cela ne peut
pas faire difficulté, car bien des indices nous font croire que Remigius fut obligé d'abandonner momentanément son siège et de le
céder à Lazare » (Griffe, *loc. cit.*, p. 252). — La récente histoire
du diocèse d'Aix : *Le diocèse d'Aix-en-Provence*, sous la direction
de J.-R. Palanque (*Histoire des diocèses de France*, 3), Paris 1975,
voit au contraire en Triferius, ici nommé, l'évêque d'Aix de 394-
408 (ce que contestait L. Duchesne, *Fastes*, I, p. 80).
3. *Ordinatio sacerdotum* : c'est de la consécration d'évêques qu'il
s'agit, d'après le vocabulaire habituel et le contexte (cf. *supra*, p. 56,
n. 2). Les quatre contrevenants ont dû procéder ensemble à cette
consécration. On peut supposer qu'ils n'ont pas tenu compte des pré-
rogatives reconnues en ce domaine à l'évêque métropolitain ; ils
semblent les avoir ignorés, comme une chose encore récente en Gaule.

Proinde iudicauit synodus ut si ex hoc fecerit contra statuta maiorum, sciat is qui ordinatus fuerit sacerdotii se honore priuandum et ille qui ordinauerit auctoritatem se in ordinationibus uel in conciliis minime retenturum.

Non solum autem circa memoratos episcopos haec sententia praeualebit, sed et circa omnes qui simili errore decepti ordinationes huiusmodi perpetrarint.

4. De Palladio autem laico qui Spano presbytero non leue crimen intenderat, inter quos episcopus Triferius eiusdem criminis causam se cognouisse testatus est, id concilii decreuit auctoritas ut idem Palladius in eadem sententia maneret qua cognitionis tempore a Triferio fuerat sacerdote mulctatus, in hoc ei humanitate seruata concilii ut ipse Triferius in potestate habeat quando uoluerit ei relaxare.

5. Statuit quoque de Exuperantio presbytero sancta synodus, qui in iniuriam sancti episcopi sui Triferii grauia et multa congesserat et frequentibus eum contumeliis prouocarat, ita ut nonnulla fecerit contra ecclesiasticam disciplinam — propter quam causam ab eo fuerat dominica communione priuatus —, ut in eius sit arbitrio restitutio ipsius in cuius potestate fuit eius abiectio : hoc est ut quando uel idem Exuperantius satisfecerit uel episcopo Triferio uisum fuerit, tum gratiam communionis accipiat.

6. Illud praeterea decreuit sancta synodus ut, quoniam legatos episcopi Galliarum qui Felici communicant destinarunt, ut si quis ab eius communione se uoluerit sequestrare, in nostrae pacis consortio suscipiatur, iuxta litteras uenerabilis memoriae Ambrosii episcopi uel Romanae

1. Cette sanction qui apparaît ici pour la première fois se retrouve au concile de Riez de 439, c. 1, qui se réfère d'ailleurs expressément

Le concile a en outre décidé que si l'on agit à l'avenir
à l'encontre des règles posées par nos Anciens, celui qui
aura été ordonné sera privé, qu'il le sache, de la dignité
épiscopale et celui qui l'aura ordonné ne conservera plus
aucune autorité lors des ordinations ou dans les conciles [1].

Cette décision s'appliquera non seulement à l'égard
des évêques susdits, mais aussi à l'égard de tous ceux qui,
commettant une erreur analogue, viendraient à procéder
à des ordinations de ce genre.

4. A propos du laïc Palladius qui avait accusé d'une
faute vraiment grave le prêtre Spanus, affaire que l'évêque
Triferius a attesté avoir personnellement jugée, l'autorité
conciliaire a décidé que ledit Palladius restera sous le
coup de la sentence dont il a été frappé par l'évêque Triferius lors du procès, mais que l'indulgence du concile lui
est accordée en ce que ce même Triferius aura la possibilité de lui remettre sa peine quand il le voudra.

5. Le saint concile a aussi décidé, dans le cas du prêtre
Exuperantius qui avait accumulé de nombreux et graves
torts à l'égard de son saint évêque Triferius et qui l'avait
outragé à plusieurs reprises, agissant ainsi plus d'une fois
à l'encontre de la discipline ecclésiastique — ce pourquoi
il avait été privé par son évêque de la communion du
Seigneur —, que la réintégration dépendrait du vouloir
de celui-là même qui avait eu le pouvoir de l'exclusion :
c'est-à-dire que lorsque ledit Exuperantius aurait fait la
pénitence requise, ou lorsque l'évêque Triferius l'aurait
jugé bon, il recevait la grâce de la communion.

6. En outre le saint concile a décidé que, puisque les
évêques des Gaules qui sont en communion avec Félix
nous ont envoyé des délégués, si quelqu'un veut se sépa-
rer de sa communion, il soit reçu dans notre société et
notre paix, conformément aux lettres expédiées naguère
par l'évêque Ambroise, de vénérable mémoire, et par

à la « solution excellente du concile de Turin ». Ce canon a été cité
intégralement au xiie concile de Tolède de 681 (c. 4).

ecclesiae sacerdotis dudum latas, quae in concilio legatis praesentibus recitatae sunt.

7. Neque illud praetermittendum fuit quod synodi sententia definitum est, ut clericum alterius secundum statuta canonum nemo suscipiat neque suae ecclesiae, licet in alio gradu, audeat ordinare, neque abiectum recipiat in communionem.

8. Hi autem qui contra interdictum sunt ordinati uel in ministerio filios genuerunt, ne ad maiores gradus ordinum permittantur synodi decreuit auctoritas.

Incolumes uos Dominus noster aeuo longissimo conseruare dignetur, fratres dilectissimi.

---

1. Le Ier concile de Tolède de 400, qui cherche lui aussi à mettre un terme à l'affaire priscillianiste, fait également état de lettres d'Ambroise et du pape Sirice (VIVES, p. 30-31). Ces deux lettres ne nous sont pas parvenues (voir à ce sujet E.-Ch. BABUT, *Priscillien et le priscillianisme*, Paris 1909, p. 187-189).

2. Sur la division de l'épiscopat gaulois en féliciens et antiféliciens, cf. *supra*, p. 124. Les évêques réunis au concile de Turin tentent de refaire l'unité en se montrant prêts à recevoir les féliciens repentants.

l'évêque de l'église de Rome [1], dont lecture a été donnée au concile en présence des délégués [2].

7. Et il ne faudrait pas omettre ce qui a été décidé par sentence conciliaire, à savoir que, conformément aux canons, personne ne doit recevoir le clerc d'un autre, ni se permettre de l'ordonner au service de son église, même à un autre degré, ni recevoir à la communion un clerc excommunié [3].

8. Quant à ceux qui ont été ordonnés malgré un empêchement ou qui, étant dans le ministère, ont eu des enfants, l'autorité conciliaire a décidé qu'il ne serait pas permis de les promouvoir à des degrés d'ordre supérieurs [4].

Que notre Seigneur daigne vous conserver sains et saufs pendant de très longues années, frères très chers.

---

3. Sur les dispositions conciliaires en ce sens, cf. concile d'Arles de 314, c. 2 et 21, et aussi c. 26 et 27 (attribués à ce concile) ; concile de Nicée, c. 5 ; concile d'Antioche de 341, c. 6 et 22 ; concile de Sardique, c. 19 ; et la lettre de Sirice aux évêques d'Afrique, c. 6 et 7 (MUNIER, *Conc. Afr.*, p. 61).

4. Sur la continence des prêtres, cf. *supra*, p. 66 et n. 3, à propos du c. 29 attribué au concile d'Arles. Dans sa lettre aux évêques d'Afrique, Sirice (*loc. cit.*, c. 9) insiste sur le même précepte, mais sans assortir sa violation d'aucune sanction précise. Le c. 29 attribué au concile d'Arles prononce au contraire la sanction de la déposition, se montrant en cela plus sévère que le concile de Turin.

INDEX

I. — INDEX SCRIPTURAIRE

Les chiffres de droite renvoient aux pages de la présente édition ;
en italique, ils indiquent des allusions.

Sagesse

1, 13   106 b

Ézéchiel

44, 22   *104* a

Matthieu

10, 33   78 d
12, 32   *72* a

Marc

3, 28-29   *72* a

Luc

3, 8   56 b
10, 38   94 d

Jean

10, 30   94 b
14, 9   94 c
   28   96 g

Romains

12, 10   138 a
   16   138 a

II Corinthiens

5, 14-15   42 a
13, 4   *96* f

Galates

1, 8   76 c

Philippiens

2, 6-7   *96* h
   8   96 e

Colossiens

1, 15   94 a

I Timothée

3, 2   *104* a

Tite

1, 6   *104* a

I Jean

3, 8   *76* b

II. — INDEX DES AUTEURS CITÉS

Les chiffres de droite renvoient aux pages de la présente édition.

HILAIRE DE POITIERS

Collectanea antiariana parisina, A, I   92–98
                      B, I, 6   82

Contra Constantium imperatorem liber, 2   86

JÉRÔME

De scriptoribus ecclesiasticis, 100   86

PROSPER D'AQUITAINE

Epitoma Chronicon, n. 1187   114

SULPICE SÉVÈRE

Chronicorum lib. II, 39   82
                45   90
                49–50   114
Dialogus II [III], 11, 2–5 ; 12, 2 à 13, 6   118–122

III. — INDEX DES NOMS

Les premiers chiffres de chaque référence renvoient aux pages de la présente édition, les seconds aux lignes.

Acceptus, *évêque élu de Fréjus* 110, 8

Acpitetus *voir* Epictetus

Acratius *voir* Agricius

Adelfius, *évêque de Lincoln* 40, 4 ; 60, 28

Adelfus, *évêque (de Metz ?)* 130, 9.10

Aemilianus *voir* Emilianus

Afer, *diacre d'Arles* 58, 18

Africains 44, 20 ; 50, 5

Afrique 62, 14 ; *cités :* Carthage, Uthina, Utique, Beniata, Thuburbo, Pocofelta

Agapius, Agapitus, *exorciste de Nice* 60, 1

Agathon, Agustun, *diacre d'Aquilée* 58, 10

Agen *évêque :* Foegadius

Agricius, Agrucius, Acratius, *évêque de Trèves* 40, 1 ; 60, 20

Agrippa, Agreppa, *diacre de Capoue* 58, 6

Aix *évêques :* Triferius (?), Remigius (?)

Albanus, *consul* 70, 1

Alexandrie *évêque :* Athanase

Alitius, *évêque* 130, 4

Amandinus, Amandus, *prêtre d'Autun* 60, 10

Amandus, *évêque de Strasbourg* 70, 6 ; 74, 24

Amantius, *consul* 70, 1

Ambitausus *voir* Imbetausius

Ambroise, *évêque de Milan* 142, 29

Amiens *évêque :* Eulogius

Ammonius, Admonius, *prêtre de Cagliari* 62, 12

Anastasius, Aristasius, *évêque, de Beniata (?)* 40, 5 ; 62, 19

Annianus, *consul* 58, 3

Andethanna (bourg d' —) 120, 21

Angers *voir* Epetemius

Antherius, Antherus, Anterius, *évêque* 102, 9 ; 108, 7 ; 110, 4

Aortius *voir* Eortius

Aper, *évêque* 130, 4

Aprunculus, *évêque (d'Auch ?)* 130, 1

Apt *prêtre :* Romanus ; *exorciste :* Victor

Apulie *cité :* Salapia

Aquilée *évêque :* Theodorus ; *diacre :* Agathon

Aquitaine *cités :* — des Gabales, Bordeaux, Poitiers

Aratus, *évêque* 130, 8

Arcadius, *empereur* 114, 17 ; 126, 3

Aristasius *voir* Anastasius

Arles 40, 10 ; 46, 2 ; 56, 19 ; 82, 5.14 ; 138, 21 ; *évêques* : Marinus, Valentinus, Saturninus, Concordius, Ingenuus ; *prêtre* : Salamas ; *diacres* : Nicasius, Afer, Ursinus, Petrus

Arminius, *diacre de Lincoln* 60, 29

Artemius, *évêque (d'Embrun ?)* 102, 7 ; 108, 5.12 ; 110, 2

Articlauorum ciuitas *voir* Verdun

Athanase, *évêque d'Alexandrie* 76, 24 ; 82, 2.3.7.10

Auch *évêque* : Aprunculus (?)

Ausanius *voir* Avitianus

Autun *évêques* : Reticius, Simplicius ; *prêtre* : Amandinus ; *diacre* : Felomasius

Auxence, *évêque* 96, 20

Auxerre *évêque* : Valerianus

Avitianus, Ausanius, *évêque de Rouen* 40, 6 ; 60, 8

Bâle *évêque* : Justinianus

Bauto, *consul* 114, 17

Beclas, Beflas, *exorciste de Vienne* 58, 21

Beneuentina ciuitas *voir* Beniata

Beniata (?) *évêque* : Anastasius

Besançon *évêque* : Pancharius

Bétique (cité de —) *prêtre* : Sabinus

Béziers 82, 5 ; 86, 2.8

Bitus, Thitus, *prêtre de Rome* 58, 12

Bordeaux 114, 6.18 ; *évêque* : Orientalis ; *diacre* : Flavius

Bretagne *cités* : York, Londres, Lincoln

Britto, *évêque de Trèves* 102, 7 ; 108, 18 ; 110, 3

Caecilianus, *évêque de Carthage* 40, 2 ; 62, 15

Cagliari *évêque* : Quintasius ; *prêtre* : Ammonius

Campanie *cité* : Capoue

Capoue *évêque* : Proterius ; *diacres* : Agrippa, Pinus

Carthage *évêque* : Caecilianus ; *diacre* : Sperantius

Castorius, *diacre de Tarragone* 62, 4

Cavaillon *évêque* : Geniales

Centumcellae *évêque* : Epictetus

Césarée de Mauritanie *évêque* : Fortunatus ; *diacre* Deuterius

Chalon *évêque* : Donatianus

Chrestus, *évêque* 102, 8 ; 108, 9 ; 110, 4

Cinq Provinces 102, 5 ; 136, 5

Citerius, *diacre d'Osuna* (?) 62, 2

Claudianus, *prêtre de Rome* 58, 12

Clementius, *prêtre de Saragosse* 62, 6

Cologne 70, 2.14.19 ; 74, 6 ; 76, 2 ; *évêques* : Maternus, Eufratas ; *diacre* : Macrinus

Concordius, *évêque d'Arles* 102, 8 ; 108, 19 ; 110, 4.7

Constance, *empereur* 82, 3.19

Constantin, *empereur* 58, 1

Constantinople 96, 13

Constantius, *évêque d'Orange* 102, 8 ; 110, 4

Crescens, Criscens, *évêque de Syracuse* 40, 6 ; 58, 4

Crescens, Criscens, *diacre de Salapia* 58, 8

Dafnus, Dafenus, Daphnus, *évêque de Vaison* 40, 6 ; 58, 23

Dalmatie *cité* : Aquilée

Delphidius, Delfidius, *rhéteur* 114, 21

Desiderius, *évêque de Langres* 70, 10

Deuterius, *diacre de Césarée de Mauritanie* 62, 10

Diclopetus, Diclapetus, *évêque d'Orléans* 70, 13 ; 78, 7

Digne *évêque* : Vincentius (?)

Discolius, *évêque de Reims* 70 8 ; 78, 1

Donatianus, Domitianus, *évêque de Chalon* 70, 3 ; 72, 9

Eauze *évêque* : Mamertinus ; *diacre* : Leontius

Eborius, Hibernius, *évêque d'York* 40, 5 ; 60, 24

Eçija *prêtre* : Termatius ; *lecteur* : Victor

Embrun *évêque* : Artemius (?)

Emilianus, Aemilianus, *évêque de Valence* 102, 7 ; 108, 3 ; 110, 3 — 108, 17 (?)

Emilius *évêque* (*différent du précédent* ?) 108, 17

Eortius, Aortius, *évêque d'Orléans* 102, 8 ; 110, 3

Epetemius, *évêque* (*Apodemus, évêque d'Angers* ?) 130, 16

Epictetus, Acpitetus, *évêque de Centumcellae* 40, 7 ; 62, 26

Equitius, *consul* 102, 4

Espagne(s) 118, 14 ; 120, 11 ; *cités* : Mérida, Bétique, Osuna (?), Tarragone, Saragosse, Eçija ; *vicaire* (*des* —) : 114, 5

Euchrotia, *épouse de Delphidius* 114, 21.

Eufratas, *évêque de Cologne* 70, 16.20 ; 72, 6.10.12.17.21. 27 ; 74, 8.17.23.25 ; 76, 4.10. 14.21 ; 78, 5.9

Eugenius, *diacre de Rome* 58, 12

Eulogius, Eologius, *évêque d'Amiens* 70, 7 ; 76, 8

Eumerius, *évêque* (*de Nantes ?*) 102, 6 ; 108, 4 ; 110, 2

Eusebius, *évêque de Rouen* 70, 13

Eusebius, *évêque* 130, 7

Euvodius, Evodius, *évêque* (*du Puy ?*) 102, 7 ; 108, 6 ; 110, 3

Euvodius, *préfet du prétoire* 114, 20

Evantius, *évêque* 130, 17

Exuperantius, *prêtre* 142, 16. 23

Faustinus, *prêtre d'Orange* 40, 3 ; 58, 25

Faustus, *évêque de Thuburbo* 62, 20

Félix, *évêque* 102, 9 ; 110, 5

Félix, *évêque* 130, 5

Félix, *évêque de Trèves* 120, 12 ; 142, 26

Félix, *exorciste de Trèves* 60, 20

Felomasius, *diacre d'Autun* 60, 10

Flavius, *diacre de Bordeaux* 60, 18

Florentius, *évêque de Vienne*
102, 6 ; 108, 2 ; 110, 2
Florentius *voir* Frontinus
Florus, *diacre de Syracuse*
58, 4
Foegadius (Phoebadius),
évêque d'Agen 102, 6 ; 110,
2
Fortunatus, *évêque de Césarée
de Maurétanie* 40, 5 ; 62, 10
Fréjus 110, 1 ; *évêque* : Acceptus
Frontinus, Florentius, *diacre
de Mérida* 60, 30

Gabales (cité des —) *diacre* :
Genialis
Gaius, *évêque* 96, 20
Gaule(s) 60, 5 ; 90, 7 ; 92,
3.7 ; 98, 3.11.18 ; 102, 5 ;
126, 5 ; 136, 4.6 ; 142, 26 ;
cités : Reims, Rouen, Autun,
Lyon, Cologne ; Arles, Bé-
ziers ; *préfet (des* —) : 114, 4
Geniales, *évêque de Cavaillon*
130, 3
Genialis, *diacre de la cité des
Gabales* 60, 16
Germanie Seconde 70, 15
Getnesius *voir* Termatius
Gratien, *empereur* 102, 3
Gregorius, *évêque de Porto*
40, 3.6 ; 62, 25

Hibernius *voir* Eborius
Hilaire, *évêque de Poitiers* 86,
7 ; 90, 1 ; 92, 20 ; 96, 17.23
Honorius, *empereur* 126, 3

Iessis, *évêque de Spire* 70, 5 ;
72, 20
Imbetausius, Inbetausius,
Ambitausus, *évêque de
Reims* 40, 4 ; 60, 6

Ingenuus, *évêque d'Arles* 130,
20
Innocentius, *diacre de Nice*
60, 1
Instance 114, 7
Italie (province d'—) *cité* :
Milan
Ithace, *évêque d'Ossonoba*
118, 2.10.22 ; 120, 4.26

Justinianus, Justianus, *évêque
de Bâle* 70, 7 ; 76, 1
Justinus, *évêque* 96, 21
Justus, *évêque de Lyon* 102,
7 ; 108, 13 ; 110, 3

Lampadius, *évêque d'Uthina*
40, 5 ; 62, 17
Langres *évêques* : Desiderius,
Urbanus (?)
Latronianus 114, 22
Legis Volumni *évêque* : Vic-
tor
Leontius, *prêtre d'Ostie* 62,
27
Leontius, *diacre d'Eauze* 60,
22
Le Puy *évêque* : Euvodius
(?)
Liberius, *évêque de Mérida*
40, 6 ; 60, 30
Lincoln *évêque* : Adelfius ;
prêtre : Sacerdos ; *diacre* :
Arminius
Londres *évêque* : Restitutus
Lyon *évêques* : Vocius, Jus-
tus ; *exorciste* : Petulinus

Macrinus, *diacre de Cologne*
60, 14
Mamertinus, *évêque d'Eauze*
60, 22
Marinus, *évêque d'Arles* 40,
1 ; 58, 1.18

Marseille *évêques* : Oresius, Proculus ; *lecteur* : Nazareus

Martin, *évêque de Tours* 118, 6.11.18 ; 120, 5.7.8.14

Martinus, *évêque de Mayence* 70, 9 ; 72, 23

Maternus, *évêque de Cologne* 40, 6 ; 60, 14

Maurétanie *cité* : Césarée

Maxime (Magnus Maximus), *empereur* 114, 1.21 ; 118, 1 ; 120, 11

Maximinus, *évêque de Trèves* 70, 3.17

Mayence *évêque* : Martinus

Megasius, *évêque* 96, 20

Melanius, *évêque (de Troyes ?)* 130, 15

Mercurinus, *évêque de Soissons* 70, 12

Mercurius, *prêtre d'Ostie* 62, 27

Mérida *évêque* Liberius ; *diacre* : Frontinus

Merocles, Meroclis, *évêque de Milan* 40, 4 ; 58, 14

Metropius, *prêtre* 72, 23

Metz *évêques* : Victor, Adelfus (?)

Milan *évêque* : Merocles ; *diacre* : Severus

Modestus, *évêque* 130, 19

Nantes *évêque* : Eumerius (?)

Narbonnaise Seconde 136, 16 ; 138, 10

Natalis, *prêtre d'Osuna* (?) 40, 1 ; 62, 2

Nazareus, *lecteur de Marseille* 58, 16

Nerviens *évêque* : Superior

Neutherius, Neuterius, *évêque* 102, 9 ; 108, 10 ; 110, 5

Nicasius, *diacre* d'Arles 58, 18

Nice *diacre* : Innocentius ; *exorciste* : Agapius

Nicée 106, 7

Nicesius, *évêque* 130, 14

Nicetius, *évêque* 102, 9 ; 108, 21 ; 110, 5

Nicetius, *diacre de Rouen* 60, 8

Niké (Thrace) 92, 24

Nîmes 126, 2.6

Numidie *cité* : Legis Volumni

Occident 92, 22

Octavius, *évêque*, 130, 11 ; 140, 9

Optatianus, *évêque de Troyes* 70, 4 ; 72, 17

Orange *évêque* : Constantius ; *prêtre* : Faustinus

Oresius, *évêque de Marseille* 58, 16

Orient. Orientaux 92, 4.6. 22 ; 98, 19 ; 126, 10

Orientalis, Orantalis, *évêque de Bordeaux* 40, 7 ; 60, 18

Orléans *évêques* : Diclopetus, Eortius

Ostie *prêtres* : Leontius, Mercurius

Osuna (?) *prêtre* : Natalis ; *diacre* : Citerius

Palladius, *laïc* 142, 8.11

Pancharius, *évêque de Besançon* 70, 11

Pardus, Pandus, *évêque de Salapia* 40, 4 ; 58, 8

Paris 92, 2 ; 98, 17 ; *évêque* : Victurinus

Paternus, *évêque de Périgueux* 90, 14

Paulin, *évêque de Trèves* 82, 12.15

Paulus, *évêque (de Tricasti-num ?)* 102, 9 ; 108, 14 ; 110, 4

Périgueux *évêque* : Paternus

Petrus, *diacre d'Arles* 58, 19

Petulinus, *exorciste de Lyon* 60, 10

Phoebadius *voir* Foegadius

Phrygie 86, 9

Pinus, *diacre de Capoue* 58, 6

Pocofelta *évêque* : Surgentius

Poitiers *évêque* : Hilaire

Portus Romae (Porto) *évêque* : Gregorius

Primigenius, *diacre de Reims* 60, 6

Priscillien 114, 2.7.9.18 ; 118, 2.3

Probatius, *prêtre de Tarragone* 40, 2 ; 62, 4

Proculus, *évêque de Marseille* 136, 14 ; 138, 14

Proterius, *évêque de Capoue* 40, 2 ; 58, 6

Quintasius, *évêque de Cagliari* 40, 7 ; 62, 12

Quiriacus, *diacre de Rome* 58, 12

Rauracorum ciuitas *voir* Bâle

Reims *évêques* : Imbetausius, Discolius *diacre* : Primigenius

Remigius, *évêque (d'Aix ?)* 130, 13 ; 140, 9

Restitutus, *évêque de Londres* 60, 26

Reticius, Riticius, *évêque d'Autun* 40, 3 ; 60, 10

Rhodanius, Rodanius, *évêque* 102, 8 ; 108, 8 ; 110, 3

Rimini 90, 4.8 ; 92, 24 ; 96, 13

Romanus, *prêtre d'Apt* 60, 3

Rome *Vrbs* : 54, 12 ; 56, 1 ; 58, 13 ; *évêques* : Silvestre, Sirice ; *prêtres* : Claudianus, Bitus ; *diacres* : Eugenius, Quiriacus

Rouen *évêques* : Avitianus, Eusebius ; *diacre* : Nicetius

Rufinus, *exorciste de Saragosse* 62, 6

Sabellius 94, 5

Sabinus, *prêtre de Bétique* 62, 1

Sacerdos, Sacerdus, *prêtre de Lincoln* 60, 29

Salamas, *prêtre d'Arles* 58, 18

Salapia (Lago di Salpi) *évêque* : Pardus ; *diacre* : Crescens

Sanctinus, *évêque de Verdun* 70, 11

Saragosse *prêtre* : Clementius ; *exorciste* : Rufinus

Sardaigne *cité* : Cagliari

Saturninus, *évêque d'Arles* 86, 8 ; 90, 10 ; 98, 9

Sens *évêque* : Severinus

Sept Provinces 102, 5 ; 126, 5

Servatius, *évêque de Tongres* 70, 8 ; 76, 20

Severinus, *évêque de Sens* 70, 4 ; 72, 12

Severus, *diacre de Milan* 58, 14

Sicile *cité* : Syracuse

Silvestre, *évêque de Rome* 40, 1 ; 46, 1 ; 58, 13

Simplicius, Simplitius, *évêque d'Autun* 70, 6 ; 74, 22

Simplicius, Symplicius, *évêque (différent du précédent ?)* 102, 10 ; 108, 16 ; 110, 5

Sirice, *évêque de Rome* 142, 29

Soissons *évêque* : Mercurinus

Solinus, *évêque* 130, 6

Spanus, *prêtre* 142, 8

Sperantius, *diacre de Carthage* 62, 16

Spire *évêque* : Iessis

Strasbourg *évêque* : Amandus

Superior, *évêque des Nerviens* 70, 12

Surgentius, Surgensius, *évêque de Pocofelta* 40, 3 ; 62, 21

Syagrius, *évêque* 130, 3

Syracuse *évêque* : Crescens ; *diacre* : Florus

Tarragone *prêtre* : Probatius ; *diacre* : Castorius

Termatius, Getnesius, *prêtre d'Eçija* 40, 4 ; 62, 8

Theodorus, *évêque d'Aquilée* 40, 2 ; 58, 10

Theognitus, *évêque* 120, 1

Thitus *voir* Bitus

Thuburbo *évêque* : Faustus

Tongres *évêque* : Servatius

Triferius, Treferius, *évêque (d'Aix ?)* 130, 18 ; 140, 10 ; 142, 9.12.14.17.24

Trèves 114, 1.20 ; 118, 9 ; *évêques* : Agricius, Maximinus, Paulin, Britto ; *exorciste* : Félix

Tricastinum *évêque* : Paulus (?)

Troyes *évêques* : Optatianus, Melanius (?)

Turin 136, 2.7

Urbanus, Orbanus, *évêque (différent du suivant ?)* 102, 9 ; 108, 11.20 ; 110, 5

Urbanus, *évêque (de Langres ?)* 130, 12

Ursace, *évêque de Singidunum* 96, 20

Ursinus, *diacre d'Arles* 58, 19

Ursio, *évêque* 140, 9 — 130, 2 (?)

Ursolensium ciuitas *voir* Osuna

Ursus, *évêque (différent de Ursio ?)* 130, 2

Uthina (Oudna) *évêque* : Lampadius

Utique *évêque* : Victor

Vaison *évêque* : Dafnus ; *exorciste* : Victor

Valence 102, 2.11 ; 108, 22 ; *évêque* : Emilianus

Valens, *évêque de Mursa* 82, 9 ; 96, 20

Valentinus, *évêque d'Arles* 70, 3 ; 72, 6

Valerianus, *évêque d'Auxerre* 70, 5 ; 74, 5

Verdun (Articlauorum = Laticlauum ?) *évêque* : Sanctinus

Verensium ciuitas *voir* Veri

Veri (?) *évêque* : Vitalis

Verus, *évêque de Vienne* 40, 2 ; 58, 21

Victor, *évêque d'Utique* 40, 7 ; 62, 18

Victor, *évêque de Legis Volumni* 40, 7 ; 62, 22

Victor, *évêque de Worms* 70, 5 ; 72, 26

Victor, *évêque de Metz* 70, 10

Victor, *diacre* 72, 24

Victor, *exorciste de Vaison* 58, 23

Victor, *exorciste d'Apt* 60, 3

Victor, *lecteur d'Eçija* 62, 8

Victurinus, *évêque de Paris* 70, 12

Vienne 138, 22 ; *évêques* : Verus, Florentius ; *exorciste* : Beclas

Viennoise *cités* : Marseille, Arles, Vienne, Vaison, Orange, Nice, Apt

Vincentius, *évêque (de Digne ?)* 102, 10 ; 108, 15 ; 110, 5

Vitalis, *évêque de Veri* (?) 40, 5 ; 62, 24

Vocius, Vosius, *évêque de Lyon* 40, 2 ; 60, 12

Volosianus, *consul* 58, 3

Worms *évêque* : Victor

York *évêque* : Eborius

IV. — INDEX ANALYTIQUE

Pour chaque concile, les références sont données, suivant le cas, soit aux canons du concile et aux pages de la présente édition, soit aux pages et aux lignes de la présente édition.

accusations fausses — : Arles (314), c. 14 (13), 52-54 ; — d'un laïc contre un prêtre : Turin (398), c. 4, 142

acteurs Arles (314), *epist.*, § 5, 44 ; c. 5, 48

adsumptus homo Paris (360/361), 96, 5

adultère Arles (314), c. 11 (10), 50-52 ; c. 24, 64

affranchis protection des — : Nîmes (396), c. 7, 128

apostats condition de la réconciliation des — : Arles (314), c. 22, 56 ; évêques indûment substitués aux évêques légitimes : Paris (360/361), § 4, 96-98

apostolia (= lettres de communion) Nîmes (396), 126, 12 ; 128, 16-17

arianisme Arles (353) ; Béziers (356) ; Valence (374), 102, 12 ; voir : divinité du Christ

ariomanitae Paris (360/361), 92, 26

arma proicere Arles (314), 44, 3 ; 48, 1

audientia (*episcoporum*) Bordeaux (384-385), 114, 13

baptême réitération du — : Arles (314), *epist.*, § 9, 44 ; c. 9 (8), 50

blasphemare in Spiritum sanctum Cologne (346), 70, 22 ; 72, 2-3. 13-14. 18-19 ; 74, 1

blasphemia Cologne (346), 72, 1 ; Paris (360/361), 94, 5 ; 96, 15.24

blasphemus Cologne (346), 70, 20 ; 74, 8 ; 76, 4

canon Valence (374), 108, 22 ; Nîmes (396), 128, 6 ; *instituta canonum* : Turin (398), 136, 12 ; *canonum praeceptum* : Turin (398), 138, 25 ; *statuta canonum* : Turin (398), 144, 5

catechumeni Nîmes (396), 128, 24

catholicus *catholica ecclesia* : Cologne (346), 74, 20 ; 76, 6 ; *mater ecclesia catholica* : Arles (314), 40, 9-10 ; *catholica communio* : Arles (314), 64, 3-4 ; *fides catholica* : Paris (360/361), 92, 1 ; 98, 16 ; *catholicum non esse* : Cologne (346), 72, 10-11

censura Valence (374), 106, 6

christianus (*uir*)   Valence (374), 110, 9

cochers du cirque   Arles (314), *epist.*, § 4, 44 ; c. 4, 48

comminister   Arles (353), 82, 15

communicare   non — : Arles (314), 54, 5 ; *communicantes* : Nîmes
   (396), 128, 23 ; (entre évêques de différents partis) : Trèves (386),
   118, 9-10 ; 120, 9-10 ; Turin (398), 142, 26

communio   laica — : Cologne (346), 72, 8 ; *sanctorum* — : Nîmes
   (396), 126, 14 ; *alienum esse a catholica communione* : Arles (314),
   64, 3-4 ; *priuari communione dominica* : Turin (398), 142, 20-21 ;
   abstineri a communione : Arles (314), 44, 4 ; 48, 1-2 ; 52, 7 ; *a
   communione separari* : Arles (314), 44, 6.8 ; 48, 4.6 ; 52, 5 ; 54,
   8-9 ; *a communione excludi* : Arles (314), 44, 16-17 ; 50, 3 ; *communione priuari* : Cologne (346), 74, 20 ; *a₍communione abiceri* :
   Paris (360/361), 98, 3-4 ; *communionem consequi* : Arles (314),
   54, 10 ; *communionem petere* : Arles (314), 56, 14 ; *communionem
   non dare* : Arles (314), 56, 15 ; *communionem differre* : Valence
   (374), 106, 3 ; *gratiam communionis accipere* : Turin (398), 142,
   24 ; *recipere in communionem* : Turin (398), 144, 6-7 ; *in communionem admittere inlicitam* : Nîmes (396), 128, 8 ; (entre évêques
   de différents partis) : Paris (360/361), 90, 4 ; Trèves (386), 118,
   23 ; 120, 2.14.17.20.27 ; Turin (398), 142, 27 ; voir lettres de
   communion

compétence territoriale des évêques   dans la réconciliation :
   Arles (314), c. 17 (16), 54 ; Nîmes (396), c. 3.4, 128 ; en matière
   d'ordination et de ministère : Arles (314), c. 26.27, 64 ; Turin
   (398), c. 7, 144

concélébrations   rang des diacres : Arles (314), c. 16 (15), 54 ;
   rang des évêques étrangers, à Rome : Arles (314), c. 19, 56

concilium   Arles (353), 82, 6 ; Paris (360/361), 90, 7 ; Turin (398),
   142, 4.11.14 ; 144, 1

confinitimus   Cologne (346), 76, 28

connuncupare   Paris (360/361), 96, 9

consacerdos   Cologne (346), 74, 18 ; Paris (360/361), 92, 5.19 ;
   Turin (398), 138, 15

conscientia publica   Béziers (356), 86, 3-4

consedere   Cologne (346), 70, 2

consenior   Cologne (346), 72, 23 ; 74, 5-6

continence des prêtres et des diacres   Arles (314), c. 29, 66 ; Turin
   (398), c. 8, 144

déposition (de l'épiscopat, du ministère, de la cléricature)   Arles
   (314), c. 14 (13), 52 ; c. 21, 56 ; c. 29, 66 ; Cologne (346), 72-78,
   passim ; Paris (360/361), 90, 13.15 ; § 4, 98 ; Bordeaux (384-385),
   114, 9 ; Turin (398), c. 3, 142.

diable action du — : Cologne (346), c. 12, 76 ; Paris (360/361), § 1, 92

diacres célébrations eucharistiques : Arles (314), c. 16 (15), 54 ; prétentions des — romains : Arles (314), c. 18, 54 ; voir : *ministerium leuiticum*

digamus Valence (374), 104, 6

dioeceses maiores Arles (314), 42, 13

disciplina Arles (314), 44, 16 ; 50, 2 ; Nîmes (396), 126, 9 ; Turin (398), 140, 9 ; *apostolica* — Nîmes (396), 126, 19 ; *ecclesiastica* — : Nîmes (396), 128, 3 ; Turin (398), 142, 19-20 ; *regula disciplinae* : Nîmes (396), 126, 9

divinité du Christ Cologne (346), *passim*

donatisme Arles (314), c. 28, 66 : voir : *Montenses*

ecclesia mater — : Arles (314), 40, 9.18 ; *ecclesiae sanctitas* : Valence (374), 102, 15 ; 104, 4 ; *extra ecclesiam fieri* : Nîmes (396), 128, 24 ; voir : *catholicus*

excommunicare Paris (360/361), 96, 21 ; 98, 11

factio Béziers (356), 86, 1

félicien schisme — : Turin (398), c. 6, 142

femmes écartées du diaconat : Nîmes (396), c. 2, 126-128

fidelis Arles (314), 44, 5.11 ; 48, 3.9 ; 50, 15 ; 52, 4 ; — *persona* : Nîmes (396), 128, 21

fonctionnaires Arles(314), *epist.*, § 8, 44 ; c. 8, 50

gouverneurs de province Arles (314), *epist.*, § 7, 44 ; c. 7, 48-50

haeresis Béziers (356), 86, 3 ; Paris (360/361), 90, 12 ; 94, 1

hérétiques réconciliation des — : Arles (314), *epist.*, § 9, 44 ; c. 9 (8), 50 ; c. 28, 66

homo nudus (Christus) Cologne (346), 74, 17

homoousion Paris (360/361), 94, 3 ; 98, 7

hospitalité règles de prudences : Nîmes (396), c. 1.5.6, 126-128

impositions des mains aux malades venant à la foi : Arles (314), *epist.*, § 6, 44 ; c. 6, 48 ; aux donatistes convertis : Arles (314), *epist.*, § 9, 44 ; c. 9 (8), 50 ; c. 28, 66

injures d'un prêtre contre son évêque Turin (398), c. 5, 142

innascibilis (Deus) Paris (360/361), 94, 7.28

internupta Valence (374), 104, 6

lauacrum sanctum Valence (374), 106, 5

lauatio incesta Valence (374), 106, 6
lettres de communion Arles (314), *epist.*, § 7, 44 ; c. 7, 48-50 ;
    c. 10 (9), 50 ; Cologne (346), 74, 19-21 ; Nîmes (396), c. 6, 128 ;
    — suspectes : Nîmes (396), c. 1, 126
lettres de confesseur Arles (314), c. 10 (9), 50

malades venant à la foi : Arles (314), *epist.*, § 6, 44 ; c. 6, 48 ;
    apostats exclus de la communion : Arles (314), c. 22, 56
mariage — avec des païens : Arles (314), c. 12 (11), 52 ; — des
    clercs : Arles (314), c. 25, 64 ; Valence (374), c. 1, 104 ; remariage
    des chrétiens séparés : Arles (314), c. 11 (10), 50-52 ; c. 24, 64
métropolitain, métropoles Turin (398), c. 1, 136 ; c. 2, 138
militaires abandon du service : Arles (314), *epist.*, § 3, 44 ; c. 3,
    48
ministerium altarii Nîmes (396), 126, 16-17
ministerium leuiticum Nîmes (396), 128, 1
Montenses Arles (314), c. 28, 66

notification des décisions conciliaires *Arles* (314), *epist.*, 42, 13-15

ordinations données par des *traditores* : Arles (314), c. 14 (13),
    52-54 ; refusées à celui qui se déclare pécheur : Valence (374),
    c. 4, 106 ; *epist.*, 110 ; voir : compétence territoriale des évêques
ordinations épiscopales (*ordinationes*) réservées au métropoli-
    tain : Turin (398), c. 1, 136 ; c. 2, 138 ; c. 3, 140-142 ; nombre des
    évêques requis : Arles (314), c. 20, 56
ordo ecclesiasticus Arles (314), 66, 3
ousia Paris (360/361), 92, 25 ; 94, 9 ; 96, 11

papa Arles (314), 40, 12
Pâques fixation d'une date uniforme : Arles (314), *epist.*, § 1,
    42 ; c. 1, 46
parrociae (églises suffragantes) Turin (398), 136, 19 ; 138, 11
plebs Cologne (346), 70, 14 ; *clerus et plebs* : Valence (374), 110, 1
prêt à intérêt Arles (314), c. 13 (12), 52
primatus (du métropolitain) Turin (398), 138, 6.12.22.25
primordialis (*Deus*) Cologne (346), 74, 12
priscillianisme Bordeaux (384-385) ; Trèves (386)
provinces diversité des — : Arles (314), *epist.*, 42, 7-9
pseudoapostoli Béziers (356), 86, 1
pseudoepiscopus Cologne (346), 76, 21

regula ueritatis Arles (314), 40, 15-16

sacerdos (= *episcopus*) Paris (360/361), 96, 26 ; Valence (374), 110, 19 ; Trèves (386), 118, 2.22 ; 120, 14 ; Turin (398), 136, 6 ; 138, 1 ; 142, 13 ; 144, 1 ; *summi sacerdotes* : Turin (398), 136, 18

sacerdotium (= *episcopatus*) Paris (360/361), 90, 15 16 ; 98, 4.8 ; Valence (374), 110, 10.15 ; Turin (398), 142, 2

sacrifices païens Valence (374), c. 3, 106

sanctus, sanctissimus (*episcopus*) Arles (314), 46, 1 ; Valence (374), 110, 8 ; Trèves (386), 120, 13 ; Turin (398), 136, 14 ; 138, 14

satisfacio, satisfacere Valence (374), 106, 2.8 ; Turin (398), 142, 23

scisma Arles (314), 58, 2

sedere Turin (398), 136, 9 ; *sedit, sedit in synodo* (= *decretum fuit*) : Valence (374), 104, 5 ; 110, 11.19

sententiare Cologne (346), 74, 9

stabilité des clercs Arles (314), *epist.*, § 2, 44 ; c. 2, 46 ; c. 21, 56 ; c. 27, 64

substantia (= *ousia*) Paris (360/361), 94, 9

symbolum (*fidei*) Arles (314), 44, 24 ; 50, 7

synodus Arles (314), 56, 19 ; Béziers (356), 86, 2.8 ; Paris (360/361), 90, 5 ; Valence (374), 102, 1 ; 104, 5 ; 106, 7 ; Bordeaux (384-385), 114, 6 ; Trèves (386), 120, 4 ; 122, 1 ; Nîmes (396), 126, 1 ; 128, 21 ; Turin (398), 136, 1 ; 138, 2.23 ; 142, 17.25 ; 144, 3.10 ; voir aussi : *sedere*

témoignage en justice Arles (314), c. 14 (13). 15 (14), 52-54

traditio Arles (314), 40, 13.15

traditores Arles (314), c. 14 (13), 52-54

unité de l'Église catholique Arles (314), *epist.*, 40, 9-10

veterator Cologne (346), 78, 12

vierges vouées à Dieu Valence (374), c. 2, 104-106

visite des églises par le métropolitain Turin (398), c. 2, 140

TABLE DES MATIÈRES

	page
Avant-propos	7

INTRODUCTION

La législation des conciles gaulois du IVe siècle.... 9
    I. L'organisation interne................ 14
    II. Les relations avec le monde extérieur...... 22

SOURCES ET BIBLIOGRAPHIE

    I. Collections et manuscrits.............. 27
    II. Éditions des conciles................ 28
    III. Études............................ 30

Note sur le texte latin.................... 33

ACTES DES CONCILES

Conciles d'Arles (314).................... 35
    Lettre à Silvestre...................... 40
    Canons envoyés à Silvestre.............. 46
    Canons apocryphes attribués au concile..... 64
Concile de Cologne (346)................. 68
Concile d'Arles (353).................... 81
Concile de Béziers (356)................. 85
Concile de Paris (360/361)............... 89
Concile de Valence (374)................. 100
    Statuts du concile..................... 102
    Lettre à l'Église de Fréjus................ 110
Concile de Bordeaux (384-385)............ 113
Concile de Trèves (386)................. 117
Concile de Nîmes (396)................. 124
Concile de Turin (398).................. 133

*

INDEX

I. Index scripturaire...................... 147

II. Index des auteurs cités................. 148

III. Index des noms....................... 149

IV. Index analytique...................... 157

ACHEVÉ D'IMPRIMER
LE 7 DÉCEMBRE 1977
SUR LES PRESSES
DE PROTAT FRÈRES
A MACON

Nº IMPRIMEUR : 6365. Nº ÉDITEUR : 6830. DÉPÔT LÉGAL : 1er TRIMESTRE 1978.

SOURCES CHRÉTIENNES

LISTE COMPLÈTE DE TOUS LES VOLUMES PARUS

N. B. — L'ordre suivant est celui de la date de parution (n° 1 en 1942) et il n'est pas tenu compte ici du classement en séries : grecque, latine, byzantine, orientale, textes monastiques d'Occident ; et série annexe : textes para-chrétiens.

Sauf indication contraire, chaque volume comporte le texte original, grec ou latin, souvent avec un apparat critique inédit.

La mention *bis* indique une seconde édition. Quand cette seconde édition ne diffère de la première que par de menues corrections et des *Addenda et Corrigenda* ajoutés en appendice, la date est accompagnée de la mention « réimpression avec supplément ».

1. GRÉGOIRE DE NYSSE : **Vie de Moïse.** J. Daniélou (3ᵉ édition) (1968).

2 bis. CLÉMENT D'ALEXANDRIE : **Protreptique.** C. Mondésert, A. Plassart (réimpression de la 2ᵉ éd., 1976).

3 bis. ATHÉNAGORE : **Supplique au sujet des chrétiens.** *En préparation.*

4 bis. NICOLAS CABASILAS : **Explication de la divine Liturgie.** S. Salaville, R. Bornert, J. Gouillard, P. Périchon (1967).

5. DIADOQUE DE PHOTICÉ : **Œuvres spirituelles.** É. des Places (réimpr. de la 2ᵉ éd., avec suppl., 1966).

6 bis. GRÉGOIRE DE NYSSE : **La création de l'homme.** *En préparation.*

7 bis. ORIGÈNE : **Homélies sur la Genèse.** H. de Lubac, L. Doutreleau (1976).

8. NICÉTAS STÉTHATOS : **Le paradis spirituel.** M. Chalendard. *Remplacé par le n° 81.*

9 bis. MAXIME LE CONFESSEUR : **Centuries sur la charité.** *En préparation.*

10. IGNACE D'ANTIOCHE : **Lettres.** — **Lettres et Martyre** de POLYCARPE DE SMYRNE. P.-Th. Camelot (4ᵉ édition) (1969).

11 bis. HIPPOLYTE DE ROME : **La Tradition apostolique.** B. Botte (1968).

12 bis. JEAN MOSCHUS : **Le Pré spirituel.** *En préparation.*

13. JEAN CHRYSOSTOME : **Lettres à Olympias.** A.-M. Malingrey. Trad. seule (1947).

13 bis. 2ᵉ édition avec le texte grec et la **Vie anonyme d'Olympias** (1968).

14. HIPPOLYTE DE ROME : **Commentaire sur Daniel.** G. Bardy, M. Lefèvre. Trad. seule (1947).
  2ᵉ édition avec le texte grec. *En préparation.*

15 bis. ATHANASE D'ALEXANDRIE : **Lettres à Sérapion.** J. Lebon. *En préparation.*

16 bis. ORIGÈNE : **Homélies sur l'Exode.** H. de Lubac, J. Fortier. *En préparation.*

17. BASILE DE CÉSARÉE : **Sur le Saint-Esprit.** B. Pruche. Trad. seule (1947).

17 bis. 2ᵉ édition avec le texte grec (1968).

18 bis. ATHANASE D'ALEXANDRIE : **Discours contre les païens.** P. Th. Camelot (1977).

19 bis. HILAIRE DE POITIERS : **Traité des Mystères.** P. Brisson (réimpression, avec supplément, 1967).

20. Théophile d'Antioche : **Trois livres à Autolycus.** G. Bardy, J. Sender. Trad. seule (1948).
2ᵉ édition avec le texte grec. *En préparation.*

21. Éthérie : **Journal de voyage.** H. Pétré (réimpression, 1975).

22 bis. Léon le Grand : **Sermons,** t. I. J. Leclercq, R. Dolle (1964).

23. Clément d'Alexandrie : **Extraits de Théodote** (réimpression, 1970).

24 bis. Ptolémée : **Lettre à Flora.** G. Quispel (1966).

25 bis. Ambroise de Milan : **Des sacrements. Des Mystères. Explication du Symbole.** B. Botte (1961).

26 bis. Basile de Césarée : **Homélies sur l'Hexaéméron.** S. Giet (réimpr. avec suppl., 1968).

27 bis. **Homélies Pascales,** t. I. P. Nautin. *En préparation.*

28 bis. Jean Chrysostome : **Sur l'incompréhensibilité de Dieu.** J. Daniélou, A.-M. Malingrey, R. Flacelière (1970).

29 bis. Origène : **Homélies sur les Nombres.** A. Méhat. *En préparation.*

30 bis. Clément d'Alexandrie : **Stromate I.** *En préparation.*

31. Eusèbe de Césarée : **Histoire ecclésiastique,** t. I. G. Bardy (réimpression, 1965).

32 bis. Grégoire le Grand : **Morales sur Job,** t. I. Livres I-II. R. Gillet, A. de Gaudemaris (1975).

33 bis. **A Diognète.** H. I. Marrou (réimpr. avec suppl., 1965).

34. Irénée de Lyon : **Contre les hérésies,** livre III. F. Sagnard. *Remplacé par les nᵒˢ 210 et 211.*

35 bis. Tertullien : **Traité du baptême.** F. Refoulé. *En préparation.*

36 bis. **Homélies Pascales,** t. II. P. Nautin. *En préparation.*

37 bis. Origène : **Homélies sur le Cantique.** O. Rousseau (1966).

38 bis. Clément d'Alexandrie : **Stromate II.** *En préparation.*

39 bis. Lactance : **De la mort des persécuteurs.** 2 vol. *En préparation.*

40. Théodoret de Cyr : **Correspondance,** t. I. Y. Azéma (1955).

41. Eusèbe de Césarée : **Histoire ecclésiastique,** t. II. G. Bardy (réimpression, 1965).

42. Jean Cassien : **Conférences,** t. I. E. Pichery (réimpression, 1966).

43. Jérôme : **Sur Jonas.** P. Antin (1956).

44. Philoxène de Mabboug : **Homélies.** E. Lemoine. Trad. seule (1956).

45. Ambroise de Milan : **Sur S. Luc,** t. I. G. Tissot (réimpr. avec suppl., 1971).

46. Tertullien : **De la prescription contre les hérétiques.** P. de Labriolle et F. Refoulé (1957).

47. Philon d'Alexandrie : **La migration d'Abraham.** R. Cadiou (1957).

48. **Homélies Pascales,** t. III. F. Floëri et P. Nautin (1957).

49 bis. Léon le Grand : **Sermons,** t. II. R. Dolle (1969).

50 bis. Jean Chrysostome : **Huit Catéchèses baptismales inédites.** A. Wenger (réimpr. avec suppl., 1970).

51 bis. Syméon le Nouveau Théologien : **Chapitres théologiques, gnostiques et pratiques.** J. Darrouzès. *En préparation.*

52. Ambroise de Milan : **Sur S. Luc,** t. II. G. Tissot (1958).

53 bis. Hermas : **Le Pasteur.** R. Joly (réimpr. avec suppl., 1968).

54. Jean Cassien : **Conférences,** t. II. E. Pichery (réimpression, 1966).

55. Eusèbe de Césarée : **Histoire ecclésiastique,** t. III. G. Bardy (réimpression, 1967).

56. ATHANASE D'ALEXANDRIE : **Deux apologies.** J. Szymusiak (1958).

57. THÉODORET DE CYR : **Thérapeutique des maladies helléniques.** 2 volumes, P. Canivet (1958).

58 bis. DENYS L'ARÉOPAGITE : **La hiérarchie céleste.** G. Heil, R. Roques, M. de Gandillac (réimpr. avec suppl., 1970).

59. **Trois antiques rituels du baptême.** A. Salles. Trad. seule. *Épuisé.*

60. AELRED DE RIEVAULX : **Quand Jésus eut douze ans.** A. Hoste, J. Dubois. (1958).

61 bis. GUILLAUME DE SAINT-THIERRY : **Traité de la contemplation de Dieu.** J. Hourlier (1968).

62. IRÉNÉE DE LYON : **Démonstration de la prédication apostolique.** L. Froidevaux. Nouvelle trad. sur l'arménien. Trad. seule (réimpr., 1971).

63. RICHARD DE SAINT-VICTOR : **La Trinité.** G. Salet (1959).

64. JEAN CASSIEN : **Conférences,** t. III. E. Pichery (réimpr., 1971).

65. GÉLASE Ier : **Lettre contre les Lupercales et dix-huit messes du sacramentaire léonien.** G. Pomarès (1960).

66. ADAM DE PERSEIGNE : **Lettres,** t. I. J. Bouvet (1960).

67. ORIGÈNE : **Entretien avec Héraclide.** J. Scherer (1960).

68. MARIUS VICTORINUS : **Traités théologiques sur la Trinité.** P. Henry, P. Hadot. Tome I. Introd., texte critique, traduction (1960).

69. **Id.** — Tome II. Commentaire et tables (1960).

70. CLÉMENT D'ALEXANDRIE : **Le Pédagogue,** t. I. H. I. Marrou, M. Harl (1960).

71. ORIGÈNE : **Homélies sur Josué.** A. Jaubert (1960).

72. AMÉDÉE DE LAUSANNE : **Huit homélies mariales.** G. Bavaud, J. Deshusses, A. Dumas (1960).

73 bis. EUSÈBE DE CÉSARÉE : **Histoire ecclésiastique,** t. IV. Introd. générale de G. Bardy et tables de P. Périchon (réimpr. avec suppl., 1971).

74 bis. LÉON LE GRAND : **Sermons,** t. III. R. Dolle (1976).

75. S. AUGUSTIN : **Commentaire de la 1re Épître de S. Jean.** P. Agaësse (réimpression, 1966).

76. AELRED DE RIEVAULX : **La vie de recluse.** Ch. Dumont (1961).

77. DEFENSOR DE LIGUGÉ : **Le livre d'étincelles,** t. I. H. Rochais (1961).

78. GRÉGOIRE DE NAREK : **Le livre de Prières.** I. Kéchichian. Trad. seule (1961).

79. JEAN CHRYSOSTOME : **Sur la Providence de Dieu.** A.-M. Malingrey (1961).

80. JEAN DAMASCÈNE : **Homélies sur la Nativité et la Dormition.** P. Voulet (1961).

81. NICÉTAS STÉTHATOS : **Opuscules et lettres.** J. Darrouzès (1961).

82. GUILLAUME DE SAINT-THIERRY : **Exposé sur le Cantique des Cantiques.** J.-M. Déchanet (1962).

83. DIDYME L'AVEUGLE : **Sur Zacharie.** Texte inédit. L. Doutreleau. Tome I. Introduction et livre I (1962).

84. **Id.** — Tome II. Livres II et III (1962).

85. **Id.** — Tome III. Livres IV et V, Index (1962).

86. DEFENSOR DE LIGUGÉ : **Le livre d'étincelles,** t. II. H. Rochais (1962).

87. ORIGÈNE : **Homélies sur S. Luc.** H. Crouzel, F. Fournier, P. Périchon (1962).

88. **Lettres des premiers Chartreux,** tome I : S. BRUNO, GUIGUES, S. ANTHELME. Par un Chartreux (1962).

89. **Lettre d'Aristée à Philocrate.** A. Pelletier (1962).

90. **Vie de sainte Mélanie.** D. Gorce (1962).

91. ANSELME DE CANTORBÉRY : **Pourquoi Dieu s'est fait homme.** R. Roques (1963).

92. DOROTHÉE DE GAZA : **Œuvres spirituelles.** L. Regnault, J. de Préville (1963).

93. BAUDOUIN DE FORD : **Le sacrement de l'autel.** J. Morson, É. de Solms, J. Leclercq. Tome I (1963).

94. **Id.** — Tome II (1963).

95. MÉTHODE D'OLYMPE : **Le banquet.** H. Musurillo, V.-H. Debidour (1963).

96. SYMÉON LE NOUVEAU THÉOLOGIEN : **Catéchèses.** B. Krivochéine, J. Paramelle. Tome I. Introduction et Catéchèses 1-5 (1963).

97. CYRILLE D'ALEXANDRIE : **Deux dialogues christologiques.** G. M. de Durand (1964).

98. THÉODORET DE CYR : **Correspondance,** t. II. Y. Azéma (1964).

99. ROMANOS LE MÉLODE : **Hymnes.** J. Grosdidier de Matons. Tome I. Introduction et Hymnes I-VIII (1964).

100. IRÉNÉE DE LYON : **Contre les hérésies,** livre IV. A. Rousseau, B. Hemmerdinger, Ch. Mercier, L. Doutreleau. 2 vol. (1965).

101. QUODVULTDEUS : **Livre des promesses et des prédictions de Dieu.** R. Braun. Tome I (1964).

102. **Id.** — Tome II (1964).

103. JEAN CHRYSOSTOME : **Lettre d'exil.** A.-M. Malingrey (1964).

104. SYMÉON LE NOUVEAU THÉOLOGIEN : **Catéchèses.** B. Krivochéine, J. Paramelle. Tome II. Catéchèses 6-22 (1964).

105. **La règle du Maître.** A. de Vogüé. Tome I. Introduction et chap. 1-10 (1964).

106. **Id.** — Tome II. Chap. 11-95 (1964).

107. **Id.** — Tome III. Concordance et Index orthographique. J.-M. Clément, J. Neufville, D. Demeslay (1965).

108. CLÉMENT D'ALEXANDRIE : **Le Pédagogue,** tome II. Cl. Mondésert, H. I. Marrou (1965).

109. JEAN CASSIEN : **Institutions cénobitiques.** J.-C. Guy (1965).

110. ROMANOS LE MÉLODE : **Hymnes.** J. Grosdidier de Matons. Tome II. Hymnes IX-XX (1965).

111. THÉODORET DE CYR : **Correspondance,** t. III. Y. Azéma (1965).

112. CONSTANCE DE LYON : **Vie de S. Germain d'Auxerre.** R. Borius (1965).

113. SYMÉON LE NOUVEAU THÉOLOGIEN : **Catéchèses.** B. Krivochéine, J. Paramelle. Tome III. Catéchèses 23-34, Actions de grâces 1-2 (1965).

114. ROMANOS LE MÉLODE : **Hymnes.** J. Grosdidier de Matons. Tome III. Hymnes XXI-XXXI (1965).

115. MANUEL II PALÉOLOGUE : **Entretien avec un musulman.** A. Th. Khoury (1966).

116. AUGUSTIN D'HIPPONE : **Sermons pour la Pâque.** S. Poque (1966).

117. JEAN CHRYSOSTOME : **A Théodore.** J. Dumortier (1966).

118. ANSELME DE HAVELBERG : **Dialogues,** livre I. G. Salet (1966).

119. GRÉGOIRE DE NYSSE : **Traité de la Virginité.** M. Aubineau (1966).

120. ORIGÈNE: **Commentaire sur S. Jean.** C. Blanc. Tome I. Livres I-V (1966).

121. ÉPHREM DE NISIBE : **Commentaire de l'Évangile concordant ou Diatessaron.** L. Leloir. Trad. seule (1966).

122. Syméon le Nouveau Théologien : **Traités théologiques et éthiques.** J. Darrouzès. Tome I. Téol. 1-3, Éth. 1-3 (1966).

123. Méliton de Sardes : **Sur la Pâque (et fragments).** O. Perler (1966).

124. **Expositio totius mundi et gentium.** J. Rougé (1966).

125. Jean Chrysostome : **La Virginité.** H. Musurillo, B. Grillet (1966).

126. Cyrille de Jérusalem : **Catéchèses mystagogiques.** A. Piédagnel, P. Paris (1966).

127. Gertrude d'Helfta : **Œuvres spirituelles.** Tome I. Les Exercices. J. Hourlier, A. Schmitt (1967).

128. Romanos le Mélode : **Hymnes.** J. Grosdidier de Matons. Tome IV. Hymnes XXXII-XLV (1967).

129. Syméon le Nouveau Théologien : **Traités théologiques et éthiques.** J. Darrouzès. Tome II. Éth. 4-15 (1967).

130. Isaac de l'Étoile : **Sermons.** A. Hoste. G. Salet. Tome I. Introduction et Sermons 1-17 (1967).

131. Rupert de Deutz : **Les œuvres du Saint-Esprit.** J. Gribomont, É. de Solms. Tome I. Livres I et II (1967).

132. Origène : **Contre Celse.** M. Borret. Tome I. Livres I et II (1967).

133. Sulpice Sévère : **Vie de S. Martin.** J. Fontaine. Tome I. Introduction, texte et traduction (1967).

134. **Id.** — Tome II. Commentaire (1968).

135. **Id.** — Tome III. Commentaire (suite), Index (1969).

136. Origène : **Contre Celse.** M. Borret. Tome II. Livres III et IV (1968).

137. Éphrem de Nisibe : **Hymnes sur le Paradis.** F. Graffin, R. Lavenant. Trad. seule (1968).

138. Jean Chrysostome : **A une jeune veuve. Sur le mariage unique.** B. Grillet, G. H. Ettlinger (1968).

139. Gertrude d'Helfta : **Œuvres spirituelles.** Tome II. Le Héraut. Livres I et II. P. Doyère (1968).

140. Rufin d'Aquilée : **Les bénédictions des Patriarches.** M. Simonetti, H. Rochais, P. Antin (1968).

141. Cosmas Indicopleustès : **Topographie chrétienne.** Tome I. Introduction et livres I-IV. W. Wolska-Conus (1968).

142. **Vie des Pères du Jura.** F. Martine (1968).

143. Gertrude d'Helfta : **Œuvres spirituelles.** Tome III. Le Héraut. Livre III. P. Doyère (1968).

144. **Apocalypse syriaque de Baruch.** Tome I. Introduction et traduction. P. Bogaert (1969).

145. **Id.** — Tome II. Commentaire et tables (1969).

146. **Deux homélies anoméennes pour l'octave de Pâques.** J. Liebaert (1969).

147. Origène : **Contre Celse.** M. Borret. Tome III. Livres V et VI (1969).

148. Grégoire le Thaumaturge : **Remerciement à Origène. — La lettre d'Origène à Grégoire.** H. Crouzel (1969).

149. Grégoire de Nazianze : **La passion du Christ.** A. Tuilier (1969).

150. Origène : **Contre Celse.** M. Borret. Tome IV. Livres VII et VIII (1969).

151. Jean Scot : **Homélie sur le Prologue de Jean.** É. Jeauneau (1969).

152. Irénée de Lyon : **Contre les hérésies,** livre V. A. Rousseau, L. Doutreleau, C. Mercier. Tome I. Introduction, notes justificatives et tables (1969).

153. **Id.** — Tome II. Texte et traduction (1969).

154. CHROMACE D'AQUILÉE : **Sermons.** Tome I. Sermons 1-17 A. J. Lemarié (1969).
155. HUGUES DE SAINT-VICTOR : **Six opuscules spirituels.** R. Baron (1969).
156. SYMÉON LE NOUVEAU THÉOLOGIEN : **Hymnes.** J. Koder, J. Paramelle. Tome I. Hymnes I-XV (1969).
157. ORIGÈNE : **Commentaire sur S. Jean.** C. Blanc. Tome II. Livres VI et X (1970).
158. CLÉMENT D'ALEXANDRIE : **Le Pédagogue.** Livre III. Cl. Mondésert, H. I. Marrou et Ch. Matray (1970).
159. COSMAS INDICOPLEUSTÈS : **Topographie chrétienne.** Tome II. Livre V. W. Wolska-Conus (1970).
160. BASILE DE CÉSARÉE : **Sur l'origine de l'homme.** A. Smets et M. Van Esbroeck (1970).
161. **Quatorze homélies du IXᵉ siècle d'un auteur inconnu de l'Italie du Nord.** P. Mercier (1970).
162. ORIGÈNE : **Commentaire sur l'Évangile selon Matthieu.** Tome I. Livres X et XI. R. Girod (1970).
163. GUIGUES II LE CHARTREUX : **Lettre sur la vie contemplative (ou Échelle des Moines). Douze méditations.** E. Colledge, J. Walsh (1970).
164. CHROMACE D'AQUILÉE : **Sermons.** Tome II. Sermons 18-41. J. Lemarié (1971).
165. RUPERT DE DEUTZ : **Les œuvres du Saint-Esprit.** Tome II. Livres III et IV. J. Gribomont, É. de Solms (1970).
166. GUERRIC D'IGNY : **Sermons,** Tome I. J. Morson, H. Costello, P. Deseille (1970).
167. CLÉMENT DE ROME : **Épître aux Corinthiens.** A. Jaubert (1971).
168. RICHARD ROLLE : **Le chant d'amour (Melos amoris).** F. Vandenbroucke et les Moniales de Wisques. Tome I (1971).
169. **Id.** — Tome II (1971).
170. ÉVAGRE LE PONTIQUE : **Traité pratique.** A. et C. Guillaumont. Tome I. Introduction (1971).
171. **Id.** — Tome II. Texte, traduction, commentaire et tables (1971).
172. **Épître de Barnabé.** R. A. Kraft, P. Prigent (1971).
173. TERTULLIEN : **La toilette des femmes.** M. Turcan (1971).
174. SYMÉON LE NOUVEAU THÉOLOGIEN : **Hymnes.** J. Koder, L. Neyrand. Tome II. Hymnes XVI-XL (1971).
175. CÉSAIRE D'ARLES : **Sermons au peuple.** Tome I. Sermons 1-20. M.-J. Delage (1971).
176. SALVIEN DE MARSEILLE : **Œuvres.** Tome I. G. Lagarrigue (1971).
177. CALLINICOS : **Vie d'Hypatios.** G. J. M. Bartelink (1971).
178. GRÉGOIRE DE NYSSE : **Vie de sainte Macrine.** P. Maraval (1971).
179. AMBROISE DE MILAN : **La Pénitence.** R. Gryson (1971).
180. JEAN SCOT : **Commentaire sur l'évangile de Jean.** É. Jeauneau (1972).
181. **La Règle de S. Benoît.** Tome I. Introduction et chapitres I-VII. A. de Vogüé et J. Neufville (1972).
182. **Id.** — Tome II. Chapitres VIII-LXXIII, Tables et concordance. A. de Vogüé et J. Neufville (1972).
183. **Id.** — Tome III. Étude de la tradition manuscrite. J. Neufville (1972).
184. **Id.** — Tome IV. Commentaire (Parties I-III). A. de Vogüé (1971).
185. **Id.** — Tome V. Commentaire (Parties IV-VI). A. de Vogüé (1971).

186. **Id.** — Tome VI. Commentaire (Parties VII-IX), Index. A. de Vogüé (1971).

187. Hésychius de Jérusalem, Basile de Séleucie, Jean de Béryte, Pseudo-Chrysostome, Léonce de Constantinople : **Homélies pascales.** M. Aubineau (1972).

188. Jean Chrysostome : **Sur la vaine gloire et l'éducation des enfants.** A.-M. Malingrey (1972).

189. **La chaîne palestinienne sur le psaume 118.** Tome I. Introduction, texte critique et traduction. M. Harl (1972).

190. **Id.** — Tome II. Catalogue des fragments, notes et index. M. Harl (1972).

191. Pierre Damien : **Lettre sur la toute-puissance divine.** A. Cantin (1972).

192. Julien de Vézelay : **Sermons.** Tome I. Introduction et Sermons 1-16. D. Vorreux (1972).

194. **Actes de la Conférence de Carthage en 411.** Tome I. Introduction. S. Lancel (1972).

195. **Id.** — Tome II. Texte et traduction de la Capitulation et des Actes de la première séance. S. Lancel (1972).

196. Syméon le Nouveau Théologien : **Hymnes.** J. Koder, J. Paramelle, L. Neyrand. Tome III. Hymnes XLI-LVIII, Index (1973).

197. Cosmas Indicopleustès : **Topographie chrétienne,** t. III. Livres VI-XII, Index. W. Wolska-Conus (1973).

198. **Livre** (cathare) **des deux principes.** Ch. Thouzellier (1973).

199. Athanase d'Alexandrie : **Sur l'incarnation du Verbe.** C. Kannengiesser (1973).

200. Léon le Grand : **Sermons,** tome IV. Sermons 65-98, Éloge de S. Léon, Index. R. Dolle (1973).

201. **Évangile de Pierre.** M.-G. Mara (1973).

202. Guerric d'Igny : **Sermons.** Tome II. J. Morson, H. Costello, P. Deseille (1973).

203. Nersès Snorhali : **Jésus, Fils unique du Père.** I. Kéchichian. Trad. seule (1973).

204. Lactance : **Institutions divines,** livre V. Tome I. Introd., texte et trad. P. Monat (1973).

205. **Id.** — Tome II. Commentaire et index. P. Monat (1973).

206. Eusèbe de Césarée : **Préparation évangélique,** livre I. J. Sirinelli, É. des Places (1974).

207. Isaac de l'Étoile : **Sermons.** A. Hoste, G. Salet, G. Raciti. Tome II. Sermons 18-39 (1974).

208. Grégoire de Nazianze : **Lettres théologiques.** P. Gallay (1974).

209. Paulin de Pella : **Poème d'action de grâces** et **Prière.** C. Moussy (1974).

210. Irénée de Lyon : **Contre les hérésies,** livre III. A. Rousseau, L. Doutreleau. Tome I. Introduction, notes justificatives et tables (1974).

211. **Id.** — Tome II. Texte et traduction (1974).

212. Grégoire le Grand : **Morales sur Job.** Livres XI-XIV. A. Bocognano (1974).

213. Lactance : **L'ouvrage du Dieu créateur.** Tome I. Introduction, texte critique et traduction. M. Perrin (1974).

214. **Id.** — Tome II. Commentaire et index. M. Perrin (1974).

215. Eusèbe de Césarée : **Préparation évangélique,** livre VII. G. Schroeder, É. des Places (1975).

216. TERTULLIEN : **La chair du Christ.** Tome I. Introduction, texte critique et traduction. J. P. Mahé (1975).
217. **Id.** — Tome II. Commentaire et Index. J. P. Mahé (1975).
218. HYDACE : **Chronique.** Tome I. Introduction, texte critique et traduction. A. Tranoy (1975).
219. **Id.** — Tome II. Commentaire et index. A. Tranoy (1975).
220. SALVIEN DE MARSEILLE : **Œuvres,** t. II. G. Lagarrigue (1975).
221. GRÉGOIRE LE GRAND : **Morales sur Job.** Livres XV-XVI. A. Bocognano (1975).
222. ORIGÈNE : **Commentaire sur S. Jean.** Tome III. Livre XIII. C. Blanc (1975).
223. GUILLAUME DE SAINT-THIERRY : **Lettre aux Frères du Mont-Dieu (Lettre d'or).** J. Déchanet (1975).
224. **Actes de la Conférence de Carthage en 411.** Tome III. Texte et traduction des Actes de la 2e et de la 3e séance. S. Lancel (1975).
225. DHUODA : **Manuel pour mon fils.** P. Riché, B. de Vregille et C. Mondésert (1975).
226. ORIGÈNE : **Philocalie 21-27 (Sur le libre arbitre).** É. Junod (1976).
227. ORIGÈNE : **Contre Celse.** M.Borret. Tome V. Introduction et index (1976).
228. EUSÈBE DE CÉSARÉE : **Préparation évangélique.** Livres II-III. É. des Places (1976).
229. PSEUDO-PHILON : **Les Antiquités Bibliques.** D. J. Harrington, C. Perrot, P. Bogaert, J. Cazeaux. Tome I. Introduction critique, texte et traduction (1976).
230. **Id.** — Tome II. Introduction littéraire, commentaire et index (1976).
231. CYRILLE D'ALEXANDRIE : **Dialogues sur la Trinité.** Tome I. Dial. I et II. G. M. de Durand (1976).
232. ORIGÈNE : **Homélies sur Jérémie.** P. Nautin et P. Husson. Tome I. Introduction et homélies I-XI.
233. DIDYME L'AVEUGLE : **Sur la Genèse,** t. I. P. Nautin et L. Doutreleau.
234. THÉODORET DE CYR : **Histoire des moines de Syrie.** Tome I. Introduction et **Histoire philothée** I-XIII. P. Canivet et A. Leroy-Molinghen (1977).
235. HILAIRE D'ARLES : **Vie de S. Honorat.** M.-D. Valentin (1977).
236. **Rituel cathare.** Ch. Thouzellier (1977).
237. CYRILLE D'ALEXANDRIE : **Dialogues sur la Trinité.** Tome II. Dial. III-V. G. M. de Durand. (1977).
238. ORIGÈNE : **Homélies sur Jérémie.** Tome II. Homélies XII-XX et homélies latines, index. P. Nautin et P. Husson (1977).
239. AMBROISE DE MILAN : **Apologie de David.** P. Hadot et M. Cordier (1977).
240. PIERRE DE CELLE : **L'école du cloître.** G. de Martel (1977).
241. **Conciles gaulois du IVe siècle.** J. Gaudemet (1977).

Hors série :

Directives pour la préparation des manuscrits (de « Sources Chrétiennes »). A demander au Secrétariat de « Sources Chrétiennes ». 29, rue du Plat, 69002 Lyon.
La Règle de S. Benoît. VII. Commentaire doctrinal et spirituel. A. de Vogüé (1977).

SOUS PRESSE

CYRILLE D'ALEXANDRIE : **Dialogues sur la Trinité.** Tome III. G. M. de Durand.

DIDYME L'AVEUGLE : **Sur la Genèse,** t. II. P. Nautin et L. Doutreleau.

THÉODORET DE CYR : **Histoire des moines de Syrie,** t. II. P. Canivet et A. Leroy-Molinghen.

Targum du Pentateuque. Tome I : **Genèse.** R. Le Déaut et J. Robert.

La doctrine des douze apôtres. W. Rordorf et A. Tuilier.

GRÉGOIRE DE NAZIANZE : **Discours I-III.** J. Bernardi.

GERTRUDE D'HELFTA : **Œuvres spirituelles.** Tome IV. **Le Héraut,** Livre IV. J.-M. Clément, B. de Vregille et les Moniales de Wisques.

S. JÉRÔME : **Commentaire sur S. Matthieu.** Tome I. Livres I et II. É. Bonnard.

SOURCES CHRÉTIENNES

(1-241)

ACTES DE LA CONFÉRENCE DE CARTHAGE : *194, 195, 224*.

ADAM DE PERSEIGNE.
Lettres, I : *66*.

AELRED DE RIEVAULX.
Quand Jésus eut douze ans : *60*.
La vie de recluse : *76*.

AMBROISE DE MILAN.
Apologie de David : *239*.
Des sacrements : *25*.
Des mystères : *25*.
Explication du Symbole : *25*.
La Pénitence : *179*.
Sur saint Luc, I-VI : *45*.
— VII-X : *52*.

AMÉDÉE DE LAUSANNE.
Huit homélies mariales : *72*.

ANSELME DE CANTORBÉRY.
Pourquoi Dieu s'est fait homme : *91*.

ANSELME DE HAVELBERG.
Dialogues, I : *118*.

APOCALYPSE DE BARUCH : *144 et 145*.

ARISTÉE (LETTRE D') : *89*.

ATHANASE D'ALEXANDRIE.
Deux apologies : *56*.
Discours contre les païens : *18*.
Lettres à Sérapion : *15*.
Sur l'Incarnation du Verbe : *199*.

ATHÉNAGORE.
Supplique au sujet des chrétiens : *3*.

AUGUSTIN.
Commentaire de la première Épître de saint Jean : *75*.
Sermons pour la Pâque : *116*.

BARNABÉ (ÉPÎTRE DE) : *172*.

BASILE DE CÉSARÉE.
Homélies sur l'Hexaéméron : *26*.
Sur l'origine de l'homme : *160*.
Traité du Saint-Esprit : *17*.

BASILE DE SÉLEUCIE.
Homélie pascale : *187*.

BAUDOUIN DE FORD.
Le sacrement de l'autel : *93 et 94*.

BENOÎT (RÈGLE DE S.) : *181-186*.

CALLINICOS.
Vie d'Hypatios : *177*.

CASSIEN, *voir* Jean Cassien.

CÉSAIRE D'ARLES.
Sermons au peuple, *1-20* : *175*.

LA CHAÎNE PALESTINIENNE SUR LE PSAUME 118 : *189 et 190*.

CHARTREUX.
Lettres des premiers Chartreux, t. I : *88*.

CHROMACE D'AQUILÉE.
Sermons 1-17 : *154*.
— 18-41 : *164*.

CLÉMENT D'ALEXANDRIE.
Le Pédagogue, I : *70*.
— II : *108*.
— III : *158*.
Protreptique : *2*.
Stromate I : *30*.
Stromate II : *38*.
Extraits de Théodote : *23*.

CLÉMENT DE ROME.
Épître aux Corinthiens : *167*.

CONCILES GAULOIS DU IVe SIÈCLE : *241*.

CONSTANCE DE LYON.
Vie de S. Germain d'Auxerre : *112*.

COSMAS INDICOPLEUSTÈS.
Topographie chrétienne, I-IV : *141*.
— V : *159*.
— VI-XII : *197*.

CYRILLE D'ALEXANDRIE.
Deux dialogues christologiques : *97*.
Dialogues sur la Trinité, I-II : *231*.
— III-V : *237*.

CYRILLE DE JÉRUSALEM.
Catéchèses mystagogiques : *126*.

DEFENSOR DE LIGUGÉ.
Livre d'étincelles, 1-32 : *77*.
— 33-81 : *86*.

DENYS L'ARÉOPAGITE.
La hiérarchie céleste : *58*.

DHUODA.
Manuel pour mon fils : *225*.

DIADOQUE DE PHOTICÉ.
Œuvres spirituelles : *5*.

DIDYME L'AVEUGLE.
  Sur la Genèse, t. I : *233*.
  Sur Zacharie,   I : *83*.
  —   II-III : *84*.
  —   IV-V : *85*.
A DIOGNÈTE : *33*.
DOROTHÉE DE GAZA.
  Œuvres spirituelles : *92*.
ÉPHREM DE NISIBE.
  Commentaire de l'Évangile concordant ou Diatessaron : *121*.
  Hymnes sur le Paradis : *137*.
ÉTHÉRIE.
  Journal de voyage : *21*.
EUSÈBE DE CÉSARÉE.
  Histoire ecclésiastique, I-IV : *31*.
  —   V-VII : *41*.
  —   VIII-X : *55*.
  —   Introduction et Index : *73*.
  Préparation évangélique,   I : *206*.
  —   II-III : *228*.
  —   VII : *215*.
ÉVAGRE LE PONTIQUE.
  Traité pratique : *170* et *171*.
ÉVANGILE DE PIERRE : *201*.
EXPOSITIO TOTIUS MUNDI : *124*.
GÉLASE Ier.
  Lettre contre les lupercales et dix-huit messes : *65*.
GERTRUDE D'HELFTA.
  Les Exercices : *127*.
  Le Héraut, I-II : *139*.
  —   III : *143*.
GRÉGOIRE DE NAREK.
  Le livre de Prières : *78*.
GRÉGOIRE DE NAZIANZE.
  Lettres théologiques : *208*.
  La Passion du Christ : *149*.
GRÉGOIRE DE NYSSE.
  La création de l'homme : *6*.
  Traité de la Virginité : *119*.
  Vie de Moïse : *1*.
  Vie de sainte Macrine : *178*.
GRÉGOIRE LE GRAND.
  Morales sur Job,   I-II : *32*.
  —   XI-XIV : *212*.
  —   XV-XVI : *221*.
GRÉGOIRE LE THAUMATURGE.
  Remerciement à Origène : *148*.

GUERRIC D'IGNY.
  Sermons : *166* et *202*.
GUIGUES II LE CHARTREUX.
  Lettre sur la vie contemplative : *163*.
  Douze méditations : *163*.
GUILLAUME DE SAINT-THIERRY.
  Exposé sur le Cantique : *82*.
  Lettre d'or : *223*.
  Traité de la contemplation de Dieu : *61*.
HERMAS.
  Le Pasteur : *53*.
HÉSYCHIUS DE JÉRUSALEM.
  Homélies pascales : *187*.
HILAIRE D'ARLES.
  Vie de S. Honorat : *235*.
HILAIRE DE POITIERS.
  Traité des Mystères : *19*.
HIPPOLYTE DE ROME.
  Commentaire sur Daniel : *14*.
  La Tradition apostolique : *11*.
DEUX HOMÉLIES ANOMÉENNES POUR L'OCTAVE DE PAQUES : *146*.
HOMÉLIES PASCALES : *27*, *36*, *48*.
QUATORZE HOMÉLIES DU IXe SIÈCLE : *161*.
HUGUES DE SAINT-VICTOR.
  Six opuscules spirituels : *155*.
HYDACE.
  Chronique : *218* et *219*.
IGNACE D'ANTIOCHE.
  Lettres : *10*.
IRÉNÉE DE LYON.
  Contre les hérésies, III : *210* et *211*.
  —   IV : *100*.
  —   V : *152* et *153*.
  Démonstration de la prédication apostolique : *62*.
ISAAC DE L'ÉTOILE.
  Sermons 1-17 : *130*.
  —   18-39 : *207*.
JEAN DE BÉRYTE.
  Homélie pascale : *187*.
JEAN CASSIEN.
  Conférences, I-VII : *42*.
  —   VIII-XVII : *54*.
  —   XVIII-XXIV : *64*.
  Institutions : *109*.
JEAN CHRYSOSTOME.
  A une jeune veuve : *138*.

A Théodore : *117.*

Huit catéchèses baptismales : *50.*

Lettre d'exil : *103.*

Lettres à Olympias : *13.*

Sur l'incompréhensibilité de Dieu : *28.*

Sur la Providence de Dieu : *79.*

Sur la vaine gloire et l'éducation des enfants : *188.*

Sur le mariage unique : *138.*

La Virginité : *125.*

PSEUDO-CHRYSOSTOME.

Homélie pascale : *187.*

JEAN DAMASCÈNE.

Homélies sur la Nativité et la Dormition : *80.*

JEAN MOSCHUS.

Le Pré spirituel : *12.*

JEAN SCOT.

Commentaire sur l'évangile de Jean : *180.*

Homélie sur le prologue de Jean : *151.*

JÉRÔME.

Sur Jonas : *43.*

JULIEN DE VÉZELAY.

Sermons, 1-16 : *192.*

—   17-27 : *193.*

LACTANCE.

De la mort des persécuteurs : *39.* (2 vol.).

Institutions divines, V : *204* et *205.*

L'ouvrage du Dieu créateur : *213* et *214.*

LÉON LE GRAND.

Sermons, 1-19 : *22.*

—   20-37 : *49.*

—   38-64 : *74.*

—   65-98 : *200.*

LÉONCE DE CONSTANTINOPLE.

Homélies pascales : *187.*

LIVRE CATHARE DES DEUX PRINCIPES : *198.*

MANUEL II PALÉOLOGUE.

Entretien avec un musulman : *115.*

MARIUS VICTORINUS.

Traités théologiques sur la Trinité : *68* et *69.*

MAXIME LE CONFESSEUR.

Centuries sur la Charité : *9.*

MÉLANIE : *voir* VIE.

MÉLITON DE SARDES.

Sur la Pâque : *123.*

MÉTHODE D'OLYMPE.

Le banquet : *95.*

NERSÈS ŠNORHALI.

Jésus, Fils unique du Père : *203.*

NICÉTAS STÉTHATOS.

Opuscules et lettres : *81.*

NICOLAS CABASILAS.

Explication de la divine liturgie : *4.*

ORIGÈNE.

Commentaire sur S. Jean, I-V : *120.*

—   VI-X : *157.*

—   XIII : *222.*

Commentaire sur S. Matthieu, X XI : *162.*

Contre Celse, I-II : *132.*

—   III-IV : *136.*

—   V-VI : *147.*

—   VII-VIII : *150.*

— Introd. et index : *227.*

Entretien avec Héraclide : *67.*

Homélies sur la Genèse : *7.*

Homélies sur l'Exode : *16.*

Homélies sur les Nombres : *29.*

Homélies sur Josué : *71.*

Homélies sur le Cantique : *37.*

Homélies sur Jérémie, I-XI : *232.*

—   XII-XX : *238.*

Homélies sur saint Luc : *87.*

Lettre à Grégoire : *148.*

Philocalie 21-27 : *226.*

PAULIN DE PELLA.

Poème d'action de grâces : *209.*

Prière : *209.*

PHILON D'ALEXANDRIE.

La migration d'Abraham : *47.*

PSEUDO-PHILON.

Les Antiquités Bibliques : *229* et *230.*

PHILOXÈNE DE MABBOUG.

Homélies : *44.*

PIERRE DAMIEN.

Lettre sur la toute-puissance divine : *191.*

POLYCARPE DE SMYRNE.

Lettres et Martyre : *10.*

PTOLÉMÉE.

Lettre à Flora : *24.*

QUODVULTDEUS.

Livre des promesses : *101* et *102.*

La Règle du Maître : *105-107*.

Richard de Saint-Victor.
La Trinité : *63*.

Richard Rolle.
Le chant d'amour : *168* et *169*.

Rituels.
Rituel cathare : *236*.
Trois antiques rituels du Baptême : *59*.

Romanos le Mélode.
Hymnes : *99, 110, 114, 128*.

Rufin d'Aquilée.
Les bénédictions des Patriarches : *140*.

Rupert de Deutz.
Les œuvres du Saint-Esprit.
Livres   I-II : *131*.
—   III-IV : *165*.

Salvien de Marseille.
Œuvres : *176* et *220*.

Sulpice Sévère.
Vie de S. Martin : *133-135*.

Syméon le Nouveau Théologien.
Catéchèses,   1-5 : *96*.
—   6-22 : *104*.
—   23-34 : *113*.
Chapitres théologiques gnostiques et pratiques : *51*.

Hymnes,   1-15 : *156*.
—   16-40 : *174*.
—   41-58 : *196*.
Traités théologiques et éthiques *122* et *129*.

Tertullien.
La chair du Christ : *216* et *217*.
De la prescription contre les hérétiques : *46*.
La toilette des femmes : *173*.
Traité du baptême : *35*.

Théodoret de Cyr.
Correspondance, lettres I-LII : *40*
—   lettres 1-95 : *98*
—   lettres 96-147 : *111*
Histoire des moines de Syrie, t. I : *234*.
Thérapeutique des maladies helléniques : *57* (2 vol.).

Théodote.
Extraits (*Clément d'Alex.*) : *23*.

Théophile d'Antioche.
Trois livres à Autolycus : *20*.

Vie d'Olympias : *13*.

Vie de sainte Mélanie : *90*.

Vie des Pères du Jura : *142*.

Également aux Éditions du Cerf :

LES ŒUVRES DE PHILON D'ALEXANDRIE

publiées sous la direction de

R. Arnaldez, C. Mondésert, J. Pouilloux

Texte grec et traduction française

1. **Introduction générale. De opificio mundi.** R. Arnaldez (1961).
2. **Legum allegoriae.** C. Mondésert (1962).
3. **De cherubim.** J. Gorez (1963).
4. **De sacrificiis Abelis et Caini.** A. Méasson (1966).
5. **Quod deterius potiori insidiari soleat.** I. Feuer (1965).
6. **De posteritate Caini.** R. Arnaldez (1972).
7-8. **De gigantibus. Quod Deus sit immutabilis.** A. Mosès (1963).
9. **De agricultura.** J. Pouilloux (1961).
10. **De plantatione.** J. Pouilloux (1963).
11-12. **De ebrietate. De sobrietate.** J. Gorez (1962).
13. **De confusione linguarum.** J.-G. Kahn (1963).
14. **De migratione Abrahami.** J. Cazeaux (1965).
15. **Quis rerum divinarum heres sit.** M. Harl (1966).
16. **De congressu eruditionis gratia.** M. Alexandre (1967).
17. **De fuga et inventione.** E. Starobinski-Safran (1970).
18. **De mutatione nominum.** R. Arnaldez (1964).
19. **De somniis.** P. Savinel (1962).
21. **De Iosepho.** J. Laporte (1964).
20. **De Abrahamo.** J. Gorez (1966).
22. **De vita Mosis.** R. Arnaldez, C. Mondésert, J. Pouilloux, P. Savinel (1967).
23. **De Decalogo.** V. Nikiprowetzky (1965).
24. **De specialibus legibus.** Livres I-II. S. Daniel (1975).
25. **De specialibus legibus.** Livres III-IV. A. Mosès (1970).
26. **De virtutibus.** R. Arnaldez, A.-M. Vérilhac, M.-R. Servel et P. Delobre (1962).
27. **De praemiis et poenis. De exsecrationibus.** A. Beckaert (1961).
28. **Quod omnis probus liber sit,** M. Petit (1974).
29. **De vita contemplativa.** F. Daumas et P. Miquel (1964).
30. **De aeternitate mundi.** R. Arnaldez et J. Pouilloux (1969).
31. **In Flaccum.** A. Pelletier (1967).
32. **Legatio ad Caium.** A. Pelletier (1972).
33. **Quaestiones in Genesim et in Exodum. Fragments grecs.** F. Petit (sous presse).
34. **Quaestiones in Genesim et in Exodum. Traduction de la version arménienne** (en préparation). Tome I : sous presse.
35. **De Providentia,** I-II. M. Hadas-Lebel (1973).